le temps

VENISE
AU SIECLE DE
TITIEN

collection *le temps*

Réunion
des Musées
Nationaux

Direction éditoriale :
Anne de Margerie (RMN),
Marianne Théry avec
Fabienne Waks (Textuel).

Direction artistique :
Bénédicte Genet et
Luce Pénot.

Textes :
Isabelle Backouche, Nathalie
Bourgeois, Patrick
Coupechoux, Marie
Desplechin, Vincent Duclert,
Zahia Hafs, Catherine
Herszberg, Renaud Lefèbvre,
Brigitte Morin, Sophie Veyret,
Fabienne Waks.

Secrétariat de rédaction :
Alice Sanglier.

Maquette :
Isabel Gautray.

Documentation et
recherches historiques :
Isabelle Backouche,
Yves Cassagrande,
Vincent Duclert et
Renaud Temperini.

Iconographie :
Isabelle Wertel-Fournier,
Agenzia del Tempo (Rome).

Responsable de la fabrication :
Valérie Trembleau.

© 1993
Edition de la Réunion
des musées nationaux,
49, rue Etienne-Marcel,
75001 Paris.
ISBN 2-7118-2724-0

© 1993
Textuel
29, boulevard Bourdon,
75004 Paris.
ISBN 2-909317-02-01

SOMMAIRE

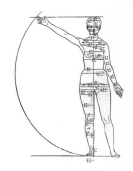

*Sa vie brève,
sa biographie mystérieuse,
ses œuvres énigmatiques,
font de Giorgione
une figure poétique de
la Renaissance vénitienne.
L'artiste peint pour
la délectation privée des
cercles aristocratiques.
Il ne reste de ce jeune
humaniste, musicien et
amoureux notoire,
qu'une dizaine de toiles.*

Giorgione, le mystérieux

Six documents seulement constituent les archives de cette vie météorique. Il ne reste de lui, de manière assurée, qu'une dizaine de toiles. Une demi-douzaine sont d'attribution douteuse. Enfin, quelques œuvres qui semblaient devoir lui être attribuées se sont vues rapporter à tel ou tel de ses élèves, Sebastiano del Piombo ou Titien, qui avait assimilé sa manière au point qu'on confondait leurs œuvres. Déjà en 1550, Vasari, voulant inclure la biographie de Giorgione dans sa monumentale histoi-re des artistes du temps, les *Vite*, se heur-te à l'oubli et à la négligence : il ne trou-ve pas trace des principales œuvres du jeune maître, ensevelies dans les ombres des palais vénitiens. Tandis que ses prédécesseurs se consacrent essen-tiellement à des commandes publiques, qu'elles émanent de confréries, d'ordres religieux, de paroisses ou des autorités de la ville, Giorgione travaille pour une clientèle exclusive de très riches ama-

quitté l'atelier de leur maître commun Giovanni Bellini : Titien, qui n'avait pas encore vingt ans. Mais le sirocco et l'air imprégné de sel rongèrent ces œuvres murales. Du reste, Vasari, qui eut la chance de les voir avant leur évanouis-sement, avoue que, pour belles qu'elles soient, leur sujet lui demeure énigma-tique. Le mystère est une composante de l'œuvre de Giorgione. Qui sont *les Trois Philosophes* contemplant la grotte obscure ? Quel est le sujet de *la Tempê-te* ? Faut-il reconnaître dans le *David* un autoportrait du peintre ? L'artiste semble s'être affranchi des contraintes qui pe-saient sur ses maîtres et qui exigeaient qu'une scène peinte fut clairement re-connaissable par tout un chacun. C'est que Giorgione pratique une peinture de connivence. Beau, élégant, chanteur et joueur de luth d'un talent reconnu, Giorgione figure le nouvel artiste : dé-sertant la blouse de l'artisan, voici l'ar-tiste en pourpoint de velours et de soie, doué de nobles manières, admis dans les cercles aristocratiques les plus ex-clusifs, où la musique rassemble une élite du goût. Une génération de jeunes patriciens accueille et choie le fils d'une modeste famille de la Terra ferma. C'est pour eux qu'il invente ces scènes cham-

Une dizaine d'années de production suffirent à Giorgione pour bouleverser l'ancienne et vénérable tradition artis-tique dans laquelle il avait été éduqué. C'est lui qui fit franchir à la peinture vé-nitienne l'horizon de piété et de célé-bration civique qui constituait jus-qu'alors son univers : avec Giorgione, la peinture s'émancipe de ses fonctions religieuses et gagne le paradis ambigu de la célébration des chairs. De ce pro-dige, on ne sait à peu près rien, sinon qu'il mourut en 1510 à l'âge de trente-trois ans environ, au cours d'une de ces grandes épidémies de pestes qui scan-dent l'histoire de Venise. Il naquit d'une famille modeste de Castelfranco, vers 1477, comme Palma le Vieux et Loren-zo Lotto qui devinrent, à Venise, ses ca-marades d'apprentissage.

*Gravure extraite
de la deuxième édition
des « Vite » de Vasari.*

teurs appartenant aux cercles aristocra-tiques de Venise. Il peint pour leur dé-lectation privée. Ses œuvres sont de for-mat modeste, des toiles peintes à l'huile qu'on tient dans l'ombre d'un cabinet, d'une chambre, d'une bibliothèque, et qui n'en disparaîtront que plus facile-ment au fil des héritages et des ventes. Quant à celles qui sont offertes au re-gard de tous, elles ont pour leur quasi-totalité disparu. On sait que Giorgione prisait fort la peinture à fresque et qu'il décora diverses façades patriciennes. En 1508, couronnement de sa jeune carrière, il fut chargé de peindre les fa-çades du Fondaco dei Tedeschi, l'entre-pôt et la résidence des puissants mar-chands allemands établis à Venise. A ce chantier de prestige, il associa un jeune apprenti, qui l'avait suivi lorsqu'il avait

pêtres vouées à la célébration mystique de la Nature et du corps de la femme dont l'iconographie demeure mysté-rieuse. Le sujet ? Un secret entre l'artiste et son commanditaire. Mais ces toiles ont-elles besoin d'un sujet ? Du bref pas-sage de Léonard de Vinci à Venise, il a re-tenu cette insidieuse magie des transi-tions infimes de l'ombre à la lumière qui fait palpiter un corps entre visible et in-visible. *« Il faut avouer,* rapporte Boschi-ni, son panégyriste, *que ses coups de pin-ceau sont autant de sang et de chair mêlés, mais de façon si moelleuse et si aisée qu'on ne peut plus parler de fini pictural mais de vérité naturelle. »* On attribue à l'amour la fin précipitée de ce poète de l'incar-nat : négligeant toute prudence, il rejoi-gnit sa maîtresse déjà frappée de pesti-lence, et mourut à son tour. ∎

*Anonyme: copie
d'un autoportrait
présumé de
Giorgione dont
l'original est
aujourd'hui disparu.
Huile sur toile.
31,5 × 28,5 cm.
Braunschweig,
Herzog Anton
Ulrich-Museum.*

Titien :
« Autoportrait ».
Huile sur toile.
96 × 75 cm. Berlin,
Staatliche Museum
Gemäldegalerie.

En un siècle où les peintres pratiquaient volontiers en virtuoses tous les arts, l'architecture ou la sculpture parfois, la musique comme Giorgione ou Sebastiano del Piombo, Titien fut peintre exclusivement. La peinture fut son seul royaume, mais toute la peinture : paysage, portrait, scène mythologique ou érotique, peinture d'histoire, peinture sacrée, voire ex-voto dans le goût populaire, il n'y eut pas un genre de cet art qu'il dédaignât de pratiquer.

En un siècle où la vie se fait particulièrement précaire, entre pestes, guerres, crise économique et religieuse, la chance, constamment, lui sourit. Vasari, son biographe, écrit : « *Titien fut de santé heureuse et reçut de la fortune plus qu'aucun homme, le Ciel ne lui infligea que faveurs et bénédictions.* » A l'orée de sa carrière, alors qu'il émerge à peine de l'atelier de son maître Giovanni Bellini, et qu'il travaille dans l'ombre de son aîné Giorgione aux fresques du Fondaco dei Tedeschi, celui-ci meurt en 1510. En quelques années, Giovanni Bellini, son maître et « patron » incontesté de la peinture vénitienne, disparaît, et ses deux camarades d'apprentissage, Sebastiano del Piombo et Lorenzo Lotto, quittent Venise. La scène de ses triomphes est libre. Et puis Venise est excentrée dans le monde de l'art : la peinture « moderne », c'est à Florence et surtout à Rome qu'elle se développe, expérimente et s'épanouit. Les loges de Raphaël au Vatican, la chapelle Sixtine sont les centres de l'innovation en peinture. A Venise, c'est Titien à lui seul qui, jusque dans les années 1540, invente, innove, surprend.

Ce montagnard, né dans les Dolomites sans doute vers 1488 d'une famille de notaires et de propriétaires fonciers, n'est pas un fils de l'art : nul peintre avant lui chez les Vecellio, mais des soldats, des administrateurs, des hauts fonctionnaires de la République de Venise en Terre ferme. De ses ancêtres il hérite un sens avisé des affaires, une grande rigueur dans la gestion de sa fortune, et surtout le sens de la « carrière » qui, en un siècle de génies saturniens ou fantasques, caractérise sa vie de peintre. Michel-Ange ou Lorenzo Lotto sont hantés par le renoncement mystique, Rosso Fiorentino ou Cellini sont des aventuriers, Le Parmesan est alchimiste et nécromant ; beaucoup, tel Corrège

lui-même, se contentent du statut de modestes artisans. Titien invente le singulier personnage du génie-homme d'affaires qu'après lui un Bernin, un Rubens, imiteront. C'est qu'il fonde sa fortune sur une valeur immédiatement reconnue : son génie. Dès 1513, il a l'audace de réclamer au sénat l'office et la rente que n'a pas encore laissés vacants Giovanni Bellini alors octogénaire. A la mort du peintre officiel de la République, en 1516, il devient à son tour le portraitiste des doges et l'interprète des heures de gloire de la Sérénissime, faveur sans précédent et couronnement de la carrière « civique » de Titien. Mais cette identification à Venise ne se limite pas aux charges officielles. Depuis le dévoilement en 1518 de l'immense et stupéfiante *Assomption* des Frari, dont l'originalité prit au dépourvu les lettrés, le peuple de la lagune assure à chacune des grandes toiles religieuses de Titien un accueil enthousiaste. Titien s'identifie à Venise, malgré les tensions que n'a cessé d'engendrer le succès du maître hors de la ville. Car il ne s'est pas contenté de reprendre la clientèle aristocratique et toute vénitienne de Giorgione. Il a conquis les nobles et les princes de ces petites et très riches cours de l'Italie centrale qui, depuis le XVᵉ siècle, ont accumulé ce qu'il y avait de plus beau en matière de peinture. Les Este à Ferrare, les Gonzague à Mantoue, les ducs d'Urbin et puis le plus célèbre des mécènes, Isabelle d'Este elle-même : il les gagne à sa clientèle en moins d'une décennie. Car Titien a bénéficié à point nommé d'une autre bonne fortune : le sac de Rome qui a chassé à Venise en 1527 Sansovino, sculpteur et architecte, et l'Arétin, écrivain, poète, inventeur du journalisme et du chantage culturel. Leurs contacts en Italie centrale, le réseau des correspondants et mécènes de l'Arétin, Titien va pouvoir les exploiter en grand. Les

centaines de lettres où l'écrivain vante le génie du peintre vénitien, suggère des contrats, impressionne les hésitants et convainc les rétifs, vont ouvrir à celui-ci les portes de ce gotha des collectionneurs italiens qui passe les limites de la lagune.

Et puis la souplesse, l'habileté de Titien font le reste : de Baldassare Castiglione, l'auteur du *Courtisan*, de monseigneur Della Casa qui a écrit avec le *Galateo* le manuel de savoir-vivre des cours d'Europe jusqu'à la fin du XVIIIᵉ siècle, il apprend à policer ses manières, à figurer dignement dans une assemblée de seigneurs à Urbin ou à Mantoue. Lorsqu'en 1530 Charles Quint l'invite aux cérémonies de son couronnement à Bologne, Titien est prêt pour ce qui est aussi le couronnement de sa propre carrière : il devient le peintre de confiance de l'empereur, plus encore, son familier. A Milan, à Augsbourg, à Innsbrück ou à Gênes, l'empereur, toujours avide du génie de son peintre, l'appelle et multiplie les commandes. En 1533, il l'anoblit : Titien est comte palatin et ses deux fils inscrits à l'album des nobles d'empire au titre de quatre générations de noblesse. Titien est au pinacle et s'y maintiendra jusqu'à sa mort, quarante ans plus tard. L'apparition, à partir de 1540, de nouvelles générations de peintres, les Tintoret, les Véronèse, ne peut assombrir l'éclat de sa renommée. ∎

Titien, le majestueux

Par sa longue existence, la profusion de ses œuvres, la place qu'il occupe dans la République, Titien incarne jusqu'à la légende le Cinquecento vénitien. Ami fidèle et âpre commerçant, il triomphe dans la lagune et auprès des cours princières d'Italie. Menant sa carrière de main de maître tout au long du siècle, Titien réussit à se hisser au sommet de la gloire.

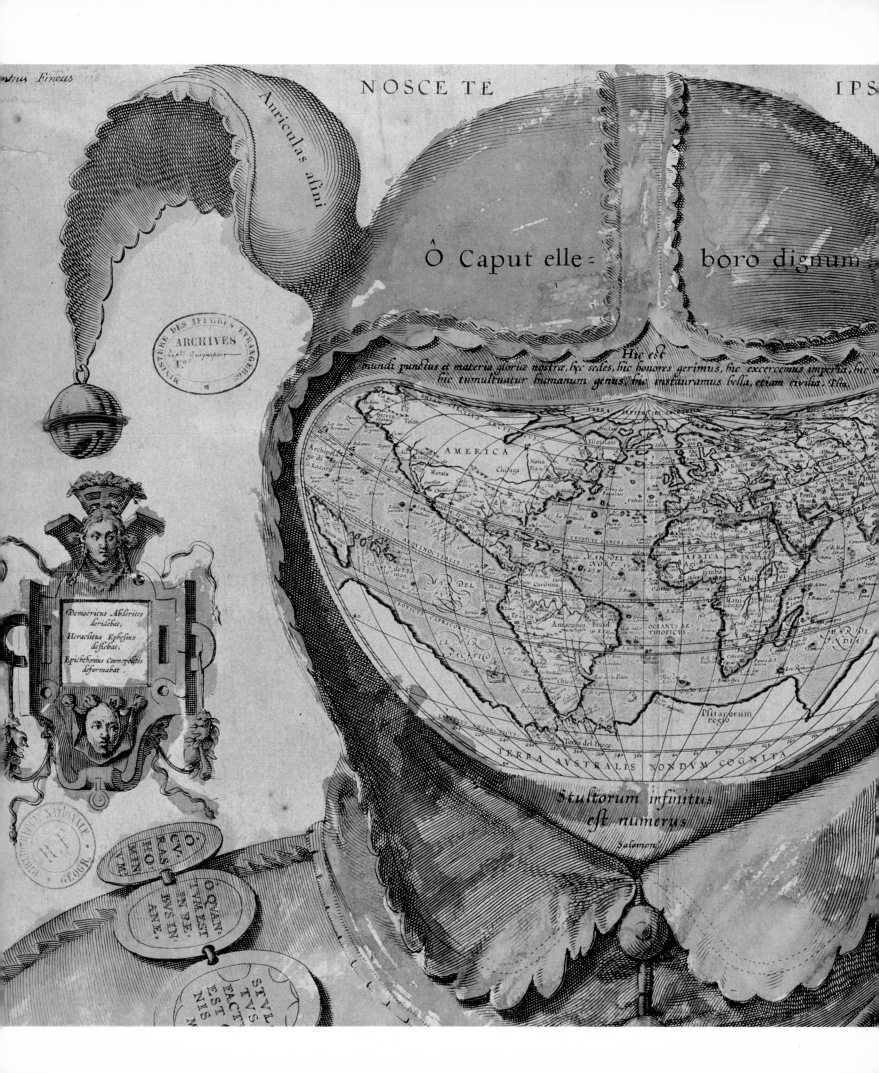

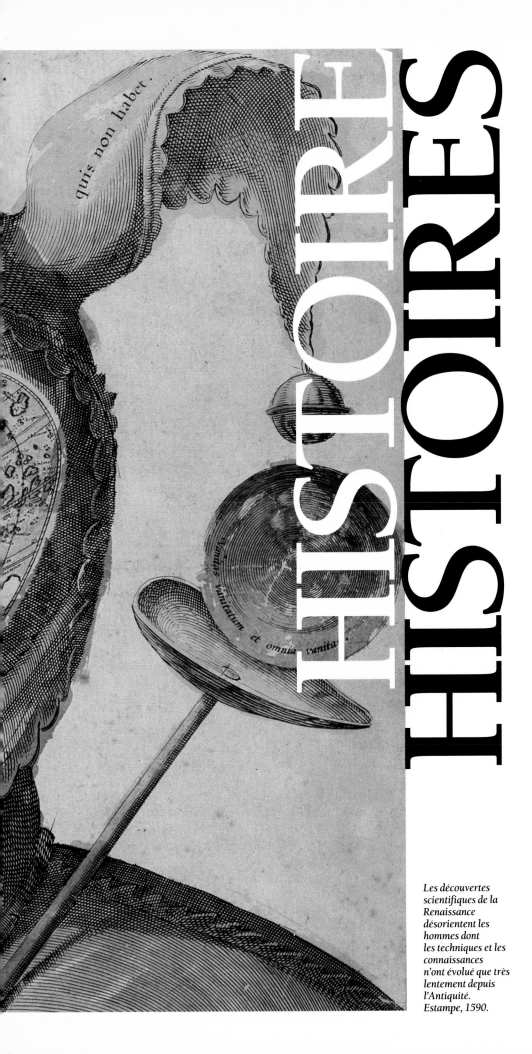

quis non habet.

Quibus Vanitatum et omnia vanita

HISTOIRES

Les découvertes scientifiques de la Renaissance désorientent les hommes dont les techniques et les connaissances n'ont évolué que très lentement depuis l'Antiquité. Estampe, 1590.

L'Europe du XVIᵉ siècle est une terre en recomposition. Les frontières du monde s'élargissent avec la découverte de nouveaux continents, de puissants empires se forgent par l'épée. L'Eglise est déchirée par la Réforme protestante... L'époque a la violence d'une naissance et la beauté d'une Renaissance. Tandis qu'en Italie les cités-Etats s'opposent et rivalisent, Venise, puissant port de commerce, poursuit au long du siècle son prodigieux développement. Son immense richesse, la sophistication de sa République, son inventivité commerciale et industrielle, l'affrontement permanent avec l'empire ottoman... tout concourt à faire de Venise, la Sérénissime, un point névralgique de la construction européenne. Mais cet apogée a aussi le goût du déclin à venir. Plusieurs fois frappée par la peste, menacée par le pouvoir pontifical, concurrencée sur les mers par les Turcs, puis les Espagnols, la République va bientôt disparaître du devant de la scène. Non sans laisser derrière elle un témoignage architectural et pictural grandiose.

1500

Le portugais Pedro Alvares Cabral accoste au Brésil après la découverte de l'Amérique par Christophe Colomb en 1492.
Le futur empereur Charles Quint naît à Gand. Titien, qui fera plusieurs fois son portrait, est âgé d'une dizaine d'années.
Léonard de Vinci fait un bref séjour à Venise. Paris Bordone naît à Trévise.

Titien :
« Charles Quint à la bataille de Mühlberg ».
Huile sur toile.
332 × 279 cm.
Madrid,
musée du Prado.

1501

Les Français s'emparent du royaume de Naples, avec l'aide des troupes espagnoles.
Alde Manuce obtient un privilège de la ville de Venise pour un nouveau caractère typographique qu'il baptise italique, et imprime des livres au format de poche. Leurs feuilles sont pliées en huit (*in-octavo*) et leur prix très modique ouvre un large marché.
Michel-Ange s'attaque au *David* qu'il achèvera en 1504.
Giovanni Bellini exécute le portrait du doge Loredan.

1502

A Venise, la *Neoaccademia* d'Alde Manuce est le centre intellectuel d'Europe le plus important et le plus riche en livres. Jusqu'en 1507, Vittore Carpaccio se consacre aux *telerii* (toiles murales) pour la Scuola di San Giorgio degli Schiavoni.

Marque typographique d'Alde Manuce sur un ouvrage d'Erasme.

1504

Louis XII, roi de France, et l'empereur Maximilien de Habsbourg s'allient contre Venise par le traité de Blois.
Le sénat vénitien inaugure la série de lois somptuaires du XVIe siècle en interdisant les trop longues traînes pour les vêtements féminins.
Gentile Bellini commence la *Prédication de saint Marc à Alexandrie* pour la Scuola Grande di San Marco.
Giorgione exécute le retable de Castelfranco qu'il terminera en 1506.

1505

A Venise, un incendie détruit le Fondaco dei Tedeschi, comptoir des marchands allemands sur le Grand Canal.
Léonard de Vinci peint la *Joconde* l'année suivante. Jérôme Bosch achève le triptyque du *Jardin des délices*.
Lorenzo Lotto signe le *Paysage avec une scène allégorique*.
Giovanni Bellini peint le retable pour l'église San Zaccaria.

1507

Nicolas Copernic met au point la théorie mathématique révolutionnaire de l'héliocentrisme : double mouvement des planètes sur elles-mêmes et autour du soleil. Sa démonstration ne sera rendue publique que quelques jours avant sa mort en 1543, par crainte d'une réaction hostile des théologiens.

Le système copernicien.
« Atlas céleste Cellarius »,
Amsterdam, 1708.

l'Europe se ligue contre la République

Seule contre tous. En décembre 1508, Venise est menacée par les dynasties les plus puissantes d'Europe. Le pape Jules II a créé une véritable machine de guerre contre la Sérénissime : Louis XII, roi de France, l'empereur Maximilien de Habsbourg, Ferdinand d'Espagne, le roi de Hongrie, le duc de Savoie, les cités de Florence, Mantoue et Ferrare se sont unis dans la ligue de Cambrai. Objectif : briser la puissance vénitienne. Cette union contre-nature des dynasties d'Europe est l'un des avatars des guerres d'Italie. Français et Espagnols, qui s'affrontent depuis des années pour Naples, se réconcilient temporairement sur le dos de Venise qui leur fait de l'ombre. De leur côté, les cités italiennes se sentent menacées par l'expansion de Venise en Terre ferme. Et le nouveau pape Jules II est décidé à tirer son épingle du jeu. Il espère rétablir le patrimoine de Saint-Pierre en profitant de la situation nouvelle créée par les guerres.

En mai 1509, les troupes françaises écrasent les Vénitiens à Agnadello. La République doit se soumettre au pape. C'est la fin de ses ambitions territoriales, et aussi le cruel constat de la désunion des siens : le vieux *condottière* Pitigliano a refusé de soutenir avec ses troupes le jeune Bartolomeo d'Alviano en pleine bataille. Quant à Jules II, grand vainqueur de cette guerre, il organise une nouvelle coalition, la Sainte Ligue, pour chasser les Français d'Italie, ces « barbares du Nord ». Mais d'autres les remplaceront. A leur tête, Charles Quint. ■

1508

Mort de Gentile Bellini. Giovanni Bellini achève, avec la collaboration de Vittore Carpaccio et Vittore Belliniano, trois toiles murales de la salle du Grand Conseil du palais ducal.

1509

Michel-Ange commence les fresques du plafond de la chapelle Sixtine qu'il terminera en 1512.
Giorgione est chargé des fresques de la façade du Fondaco dei Tedeschi, côté Grand Canal, alors que Titien travaille à celles de la façade de la calle del Fontego.
La ligue de Cambrai, unissant le roi de France, l'empereur Maximilien, le roi d'Espagne et le pape, défait Venise à Agnadello. C'est la fin des grandes ambitions territoriales de la République.
Le pape Jules II lance l'excommunication contre Venise. La République compte 115 000 habitants.
Naissance de Calvin à Noyon en Picardie.
Raffaello Sanzio, dit Raphaël, commence la décoration des trois *Stanze* du Vatican, les salles de l'appartement de Jules II.
Sebastiano del Piombo achève les volets de l'orgue de l'église vénitienne San Bartolomeo.

1510

Jules II, en une séance solennelle à Saint-Pierre, annule l'excommunication de Venise.
Vittore Carpaccio peint *Deux Dames vénitiennes*.
Giorgione meurt à trente-trois ans lors d'une épidémie de peste à Venise.
Le nom de Titien apparaît dans les livres de comptes de la Scuola dei Santi à Padoue pour l'exécution de trois fresques avec *les Miracles de saint Antoine*.

1513

C'est l'élection du nouveau pape, Léon X. Il renouvellera l'année suivante les indulgences, rémission par l'Eglise des peines temporelles concédées par Jules II.
Mort de Bramante qui a conçu le plan en croix grecque de la basilique Saint-Pierre de Rome reconstruite à partir de 1506.
Titien propose de peindre une scène de bataille dans la salle du Grand Conseil du palais ducal et obtient en échange une charge au Fondaco dei Tedeschi. Il ouvre son atelier de San Samuele.

1515

Louis XII meurt sans descendance masculine. Son gendre, François d'Angoulême, lui succède sous le nom de François Ier. Il s'allie avec les Vénitiens, remporte la victoire de Marignan contre les Suisses, et conquiert le Milanais.
Dès son avènement au trône, François Ier fait venir Léonard de Vinci au Clos-Lucé près d'Amboise.
Bellini achève le *Nu au miroir*.

A la bataille d'Agnadello, La Trémoille exhorte les soldats français au combat. Détail du bas-relief du tombeau de Louis XII et d'Anne de Bretagne.

Venise invente le ghetto

Dans la salle du Grand Conseil du palais ducal, le doge Gritti est représenté lors de «la Prise de Padoue». Palma le Jeune [détail]. Huile sur toile. 420 × 555 cm.

Le marchand de Venise qui servit de modèle à Shakespeare ressemblait sans doute à tous les marchands de la ville. Il faisait commerce d'étoffes au Rialto, et jouait aux dés avec ses amis. La différence entre ce marchand et les autres est qu'il portait un chapeau jaune – un béret ou un turban, selon son goût –, et que ses compagnons de jeu en portaient un noir. Le jaune, couleur de Judas, était réservé aux juifs, tandis que le noir l'était aux chrétiens.

La République de Venise entretient des relations ambivalentes avec la communauté juive qui, en 1586, compte 1 694 personnes, soit environ 1 % de la population. Elle la tolère davantage que d'autres Etats, car cette communauté est source de richesse grâce à ses liens commerciaux avec le Levant et les emprunts et souscriptions obligatoires auxquels elle est soumise. Venise lui accorde une liberté de culte refusée aux protestants et aux Turcs. Dès 1464, elle a autorisé les réunions de prière et, en 1580, la ville compte quatre synagogues. Mais la cité contrôle de près les activités de cette population : en 1516, le sénat oblige les juifs à s'installer dans une île de Cannaregio. Le site, qui appartient à une famille patricienne, les Minotti, a abrité des fabriques de canons et gardé l'appellation de *ghetto*, du verbe *gettare* qui signifie « fondre ». Les habitants ne peuvent en sortir ni la nuit ni lors des fêtes chrétiennes. Depuis 1423, les juifs n'ont pas le droit d'acheter la terre, aussi louent-ils leur logement d'année en année. Au fil des ans et des arrivées de coreligionnaires des colonies vénitiennes de Méditerranée ou du Levant, l'espace manque et les autorités doivent, en 1541, adjoindre au Nuovo Ghetto le vieux ghetto limitrophe. Faute de terrain, les étages s'ajoutent les uns aux autres. Certains bâtiments en comptent sept, hauteur extraordinaire qui attire les badauds des autres quartiers. Ce lieu, pourtant, n'est pas malfamé. Les juifs exercent leur activité – essentiellement du prêt sur gages et du commerce – aussi bien dans le ghetto qu'à l'extérieur. Quant aux chrétiens, ils viennent y chercher des petits emplois – porteur d'eau, vendeur de nourriture... – ou simplement y faire

1516

Le pape Léon X reconnaît l'indépendance de l'Eglise de France par le concordat de Bologne. Le roi nomme les évêques, et le pape les institue dans un second temps, c'est le début de l'Eglise gallicane. La France et son ex-ennemi helvétique signent à Fribourg une paix perpétuelle.
Le sultan Sélim Ier conquiert l'Egypte.
Erasme de Rotterdam tente un compromis entre la piété et la raison : il traduit le Nouveau Testament en latin et rédige pour le futur Charles Quint une *Institution du prince chrétien*. Thomas More publie *Utopia* dont le projet politique s'inspire de Platon, et Machiavel publie *le Prince*. Titien travaille à la cour d'Este de Ferrare au décor du cabinet d'albâtre pour lequel Giovanni Bellini, qui meurt cette année-là, avait réalisé *le Festin des dieux*.

A l'origine, le terme ghetto, du verbe gettare qui signifie « fondre », désignait le quartier où étaient installées les fabriques de canons de la République. Marchand juif à Venise. Gravure de Bertelli.

Luther brûle la bulle pontificale signifiant son excommunication. Gravure du XVIe siècle.

1517

Publication des 95 thèses de Luther sur les portes du château de Wittenberg. Il y dénonce la vente d'indulgences par la papauté pour financer ses projets architecturaux, et consomme le schisme en brûlant la bulle papale qui le condamne le 10 décembre 1520. **Sebastiano Luciani, dit Sebastiano del Piombo, peint *la Flagellation*.**

1519

Elu roi des Romains à la mort de l'empereur Maximilien, Charles Quint unifie le royaume d'Espagne et l'empire des Habsbourg. Magellan fait le premier voyage autour de la Terre en deux ans et prouve sa rotondité.
Mort de Léonard de Vinci au Clos-Lucé. Antonio Allegri, dit Corrège, peint à fresque la voûte de la Camera della Badessa au couvent San Paolo à Parme.

Planisphère cordiforme dû au mathématicien français Oronce Finé.

1521

A la diète de Worms, tenue par Charles Quint, Luther refuse de rétracter sa doctrine. Il en sort libre mais l'édit de Worms le met au ban de l'empire, ordonne la destruction de tous ses ouvrages et exige le retour au catholicisme.
Pierre du Terrail, seigneur de Bayard et *« chevalier sans peur et sans reproche »* défend victorieusement Mézières contre les soldats impériaux.
Albrecht Dürer peint « le Portrait d'un inconnu ». Giovanni Antonio de Sacchis, dit le Pordenone, peint la *Passion* à la cathédrale de Crémone.

---

un tour. Comme les autres communautés ou corporations de la ville, les juifs organisent eux-mêmes leurs affaires au sein de la Università degli Ebrei. Cette « université des Hébreux » supervise les activités des trois « nations » juives de Venise – les Allemands (*Tedeschi)*, les Levantins et les Ponantins, venus d'Espagne et du Portugal –, leurs relations avec les chrétiens, leurs activités commerciales et bancaires. Les juifs prospèrent à Venise tout autant que la communauté grecque du Castello, ou allemande du Rialto. A tel point qu'en 1573, les marchands turcs réclament un lieu à eux *« comme les juifs ont leur ghetto »*. ∎

le sac de Rome

Le jour se lève à peine, en ce lundi 6 mai 1527. Dans l'épais brouillard, les troupes impériales de Charles Quint avancent à travers les vignes qui couvrent les pentes du Vatican. Les Allemands, moustachus, avec leurs épées courtes et recourbées, les Espagnols, barbus, avides des pillages qui les attendent, les Alsaciens, les Milanais, les Bourguignons...
Un véritable déferlement contre l'autorité pontificale. Une punition infligée au pape Clément VII, pour avoir adhéré un an plus tôt à la ligue de Cognac qui rassemble contre l'empire la France, l'Angleterre et des cités italiennes.
Sur les remparts qui cernent Rome, les défenseurs terrorisés accablent les assaillants de blocs de pierre, de poix brûlante et de torches enflammées. Les Impériaux finissent pourtant par franchir la muraille. Sur leur route vers Saint-Pierre, ils massacrent sans faire de quartier. Les malades de l'hôpital Santo Spirito sont passés au fil de l'épée jusqu'au dernier. Le Vatican est envahi. Le pape s'échappe par le couloir secret qui mène au château Saint-Ange.
Très vite la ville n'est plus qu'une plainte où se mêlent le gémissement des mourants, le crépitement des incendies, la rumeur des tambours, le son des trompettes... Les Romains, affolés, se précipitent vers le château pour y chercher refuge. Ceux qui ne peuvent y pénétrer errent dans les fossés, le visage

La mort de Charles III, connétable de Bourbon, lors du siège de Rome. Gravure hollandaise [détail].

1523

On proclame en France la première condamnation de l'hérésie luthérienne.
Venise s'allie à Charles Quint contre les Français. Ces derniers, battus à La Bicoque, sont chassés du Milanais. Andrea Gritti est élu doge à la mort d'Antonio Grimani.

Pour la nouvelle chapelle du palais ducal, Titien peint à fresque *la Vierge et l'Enfant accueillant le doge Gritti*, au-dessus de l'autel, les Evangélistes, saint Marc, et saint Louis.

1524

Séville obtient le monopole du commerce avec l'Amérique.
Le Florentin Verazano, mandaté par François Ier, longe et cartographie les côtes atlantiques de l'Amérique du Nord.
A Venise, la reconstruction en pierre du pont du Rialto est lancée. L'ouvrage sera terminé en 1591.

1525

François Ier est fait prisonnier à Pavie par les troupes impériales. Il sortira de sa geôle en 1526 au prix d'un humiliant accord qu'il est bien décidé à ne pas respecter.

**Mort de Carpaccio.
Titien épouse sa concubine, Cécilia, dont il a déjà eu deux fils, Pomponio et Orazio.**

1527

Au mois de mai, les troupes impériales saccagent la ville de Rome. Jacopo Tatti, dit Sansovino, et Pietro Bacci, dit l'Arétin, se réfugient à Venise et deviennent les deux inséparables de Titien.

Le doge Andrea Gritti invite à Venise le Flamand Adrien Willaert, comme maître de la chapelle ducale de Saint-Marc.

1528

Publication du livre *le Courtisan* de Baldassare Castiglione, rédigé en 1513, qui sera un grand succès d'édition.

Naissance de Paolo Caliari, dit Véronèse.
Publication posthume du *Traité des proportions du corps humain* de Dürer qui rencontra Titien lors d'un voyage à Venise en 1506.
Titien est préféré à Palma le Vieux et à Pordenone pour la commande du retable avec *le Martyre de saint Pierre* destiné à l'église dei Santi Giovanni e Paolo.

1529

La paix de Bologne sanctionne la suprématie de l'Espagne sur l'Italie.
La diète de Spire confirme la condamnation de Luther et de ses disciples. Six princes et quatorze villes s'unissent alors en une solennelle protestation : ils sont aussitôt qualifiés de « protestants ».

Michel-Ange séjourne à Venise. Véronèse commence la série de peintures pour le palais des Camerlenghi au Rialto.

1530

La Confession d'Augsbourg, résumant les articles de la foi luthérienne, est récusée par les théologiens catholiques.

A Bologne, Charles Quint est couronné roi d'Italie et empereur du Saint Empire romain germanique par le pape Clément VII.
**Guillaume Budé, humaniste français, obtient de François Ier la faveur de créer le Collège de France (enseignement de l'hébreu, du grec et de la philosophie).
Titien s'installe l'année suivante dans la maison de Biri Grande.**

A la bataille de Pavie, les troupes de Charles Quint défont les Français. Tapisserie flamande du XVIe siècle [détail].

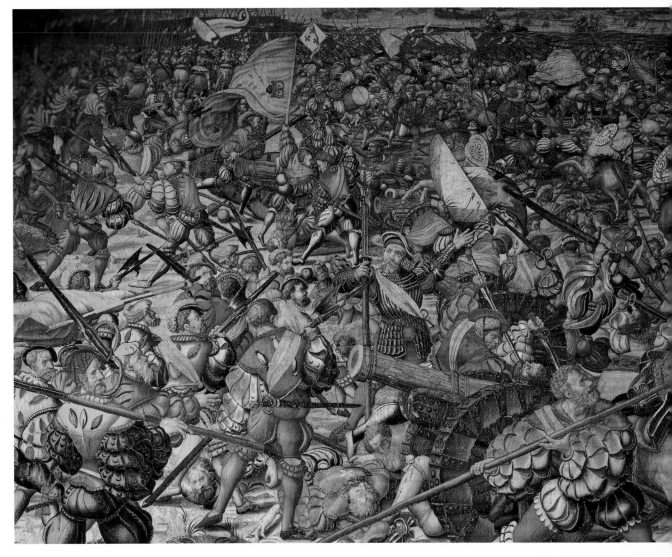

marqué par la terreur. Derrière les portes de la ville, restées fermées, les paysans guettent les fuyards pour les dépouiller et les massacrer... Le soir venu, Rome est aux mains des Impériaux. Des milliers de corps gisent sans sépulture, livrés aux chiens affamés.
Huit jours durant, les assaillants, en quête de trésors cachés, torturent leurs victimes. Les Espagnols vont même jusqu'à couper le nez ou les oreilles des Romains pour les leur faire manger... Les femmes sont vendues aux enchères, les nonnes jouées aux dés. Dans la ville, où les cloches sont muettes, les prêtres n'officient plus. Les églises sont souillées. Saint-Pierre et le Vatican servent d'écuries. Espagnols et Allemands boivent aux calices, entassent les ornements et les croix dans des sacs, dérobent les reliques. Les Romains eux-mêmes détruisent registres et édits contenant les taxes nouvelles auxquelles ils sont assujettis. Cette furie dure huit jours mais, pendant des mois, Rome occupée connaît la peste et la disette. Neuf ans plus tard, lorsque Charles Quint défile dans la ville pontificale conquise par ses troupes, celle-ci panse encore ses plaies. ∎

1533

Catherine de Médicis, princesse florentine, épouse Henri, fils de François Ier, qui régnera sous le nom de Henri II. Cette union scelle un rapprochement précaire entre la cour de France et le Vatican où règne un Médicis. Avènement d'Ivan le Terrible en Russie.
Mort de Ludovico Arioste à Ferrare et naissance de Michel de Montaigne.
A Bologne, Titien peint Charles Quint qui le nomme comte palatin. L'artiste a désormais libre accès à la Cour.

Ignace de Loyola. Ecole espagnole. XVIIe siècle. Anonyme. Huile sur toile. 94 × 69 cm. Château de Versailles.

1534

Ignace de Loyola forme à Paris, avec quelques disciples, le noyau de la future compagnie de Jésus (ordre des Jésuites).
L'acte de suprématie du Parlement confirme l'indépendance de l'Eglise nationale anglaise.
Le Malouin Jacques Cartier, « commissionné » par François Ier, explore les côtes de Terre-Neuve et l'aval du fleuve Saint-Laurent, au Canada.
François Rabelais écrit *Gargantua*.
Titien peint Isabelle d'Este. Mort de Gregorio Vecellio, père de Titien.

1536

Jean Calvin séjourne à Bâle où il rédige son œuvre principale : *Institution chrétienne*.
Rencontre à Aoste de Charles Quint et de Titien : l'empereur ordonne qu'une récompense équivalente à 300 chars de blé soit envoyée à Titien qu'il appelle son « Premier peintre » (cette pension ne sera jamais versée à son destinataire).
Michel-Ange travaille à la fresque du *Jugement dernier* de la Sixtine, qui sera achevée en 1541.
Paris Bordone peint *la Remise de l'anneau de saint Marc au doge*.

1538

Aimable entrevue entre François Ier et Charles Quint, à Aigues-Mortes.
Alliés de l'empereur, les Vénitiens sont battus par les Turcs à Prevesa et perdent la Morée (Péloponèse). Mort du doge Andrea Gritti.
Titien achève enfin la *Bataille de Cadore* pour la salle du Grand Conseil du palais des Doges (commandé en 1513) et il entreprend la *Vénus d'Urbin* pour le nouveau duc d'Urbino, Guidobaldo II. Il réalise le portrait de François Ier d'après une médaille de Benvenuto Cellini.

1539

L'ordonnance de Villers-Cotterêts, édictée par François Ier, prescrit l'usage de la langue « maternelle française », à la place du latin, dans tous les actes publics.
Pour équiper sa flotte de réserve, le sénat vénitien décide que corporations et *scuole* fourniront un nombre de rameurs proportionné à leur richesse.
François Ier fait venir Rosso à Fontainebleau et le Primatice en 1540, fondant ainsi la première Ecole de Fontainebleau, synthèse des inspirations italienne et française.

Augsbourg, constat de désunion

Quand Charles Quint ouvre la diète d'Augsbourg, le 25 juin 1530, son empire est menacé d'éclatement, gangréné par « l'hérésie ». Il convoque les princes laïcs et ecclésiastiques pour tenter de mettre fin aux troubles religieux et politiques qui secouent ses possessions. L'heure est au compromis, car la répression a échoué à briser la réforme. Les principautés de Brandebourg et du Brunswick, les villes libres de haute Allemagne l'ont adoptée, comme le Danemark et la Suède. La forte autonomie des villes impériales a constitué un accélérateur remarquable à la diffusion du mouvement lancé par Luther en 1517. Toutes les tentatives de le faire plier se sont soldées par un échec. Convoqué devant la diète d'empire en 1521, le moine a refusé de renier ses convictions. Avec la proclamation de l'édit de Worms, Luther, déjà dénoncé comme hérétique par le pape, devient proscrit dans tout l'empire. Il continue sa prédication et tente d'unir les « protestants ». En convoquant la diète, Charles Quint abandonne la répression au profit du compromis. Il autorise les protestants à présenter leur confession. Des trois confessions présentées, la plus importante est due à Philippe Melanchthon, le plus fidèle disciple de Luther. Elle prendra le nom de Confession d'Augsbourg. Elle relève, elle aussi, du compromis. Mais aucune ne fait l'unanimité chez les réformés alors que des princes et des villes défient l'empereur en rejetant les édits répressifs. C'est l'échec. Les Églises réformées, interdites et désunies, se dispersent.

Charles Quint, qui a reçu du pape la couronne des rois d'Italie, se tourne vers la Méditerranée. Une nouvelle occasion de compromis est pourtant trouvée au moment où il se lance dans la guerre contre les Turcs. Les décisions de la diète sont effacées contre la promesse d'un soutien financier. Dès 1536, l'entente se brise définitivement. Les princes allemands, François Ier, Henri VIII et Soliman le Magnifique se rassemblent contre la « monarchie universelle » du très catholique Charles Quint. ■

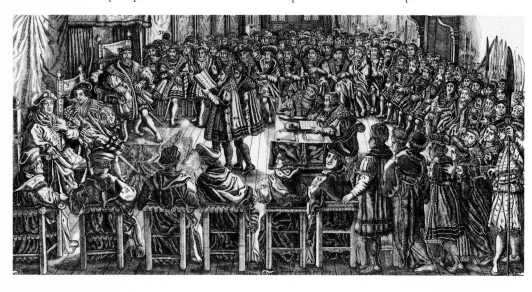

Les princes d'Allemagne sont réunis dans la salle des Evêques de la ville d'Augsbourg, en présence de Charles Quint. Gravure française du XVIe siècle.

1542

Création de l'Inquisition à Rome.
Venise signe avec le sultan ottoman Soliman le Magnifique une paix qui dura jusqu'en 1570.
Palladio construit la villa Godi Valmarana di Lonedo à Vicence.
Lorenzo Lotto, pendant son dernier séjour à Venise, peint *saint Antoine distribuant l'aumône* pour l'église dei Santi Giovanni e Paolo.

Plans et élévation de maisons privées figurant dans les « Quatre Livres d'architecture » d'Andrea Palladio, imprimé à Venise en 1570.

1545

Massacre par centaines des « hérétiques » vaudois en Provence : ils réclament le droit pour les laïcs de connaître les Saintes Écritures et donc d'instruire et d'évangéliser, au même titre que les clercs. Unis aux protestants depuis 1532, ils rejettent également le culte des saints et la messe.
Ouverture du concile à Trente.
Titien séjourne à Rome, où il est accueilli en grande pompe à la cour pontificale, et rencontre Michel-Ange.

1547

François Ier meurt, son fils Henri II lui succède. Charles Quint met en déroute les princes protestants lors de la bataille de Mülhberg.
Réimpression de *De Pictura* de Léon Battista Alberti, bible de la peinture d'Italie centrale, fondée sur la perspective, les lignes et le dessin.
Michel-Ange reçoit la direction des travaux de l'église Saint-Pierre à Rome.
Jacopo di Robusti, dit Tintoret, date et signe *la Cène* de l'église San Marcuola.

1548

Titien peint de nombreux portraits lors de l'installation de la diète d'Augsbourg, à laquelle participent les rois, princes, ducs et comtes électeurs. Cette réunion aboutira en 1555 au partage de l'empire entre les confessions catholique et luthérienne.
Pierre Lescot poursuit le réaménagement du Louvre depuis 1546 (côté ouest de la cour Carrée, entre le pavillon de l'Horloge et l'aile Sud) et construit la fontaine des Innocents avec Jean Goujon.

1550

Titien se rend à nouveau à Augsbourg où Charles Quint se prépare à annoncer officiellement son retrait de la vie publique.
Jean Cousin, dit le Père, exécute le premier grand nu de la peinture française : *Eva Prima Pandora* qui s'inspire des Vénus de Giorgione et Titien.
Édition des *Vite* de Giorgio Vasari, première biographie collective des artistes de la Renaissance.

1552

François Ier est enterré à Saint-Denis. Henri II s'allie avec les princes protestants et occupe Metz malgré la contre-offensive de Charles Quint.
Ronsard écrit les *Amours*.
Véronèse exécute la *Tentation de Saint-Antoine* à Mantoue.
Titien, de retour à Venise depuis un an, séjourne chez les frères de la Scuola Grande di San Rocco. Sa correspondance avec le prince Philippe, le futur Philippe II, devient très suivie.

1555

Le pape demande son aide à la France pour conquérir Naples aux mains des Castillans.
Charles Quint, de son côté, conclut la paix religieuse avec les luthériens de l'empire.
Véronèse s'installe définitivement à Venise et décore pour la famille Giustiniani une chapelle de l'église San Francesco della Vigna.
Titien achève le portrait du doge Francesco Venier, et accepte la commande d'une grande peinture votive du doge Antonio Grimani pour le palais des Doges.

revers et fortune du banquier Pisani

La banque moderne est née à Venise, entraînant son cortège de déroutes et de banqueroutes. Alvise Pisani n'a pas trente ans lorsqu'il se voit propulsé à la tête de la banque fondée par son père. Il doit aussitôt faire face à l'une des plus graves crises financières de la Sérénissime. A l'aube du XVIe siècle, en 1499, la plus ancienne des quatre grandes banques vénitiennes est contrainte à la faillite. La confiance est rompue, et elle entraîne dans sa chute tout le système d'épargne. Les banques ferment les unes après les autres, incapables de rembourser les liquidités.
Devant son comptoir du Rialto, Alvise Pisani se retrouve bientôt seul, assailli par des centaines de déposants qui hurlent : *« Soldez mon compte ! ».* Il sait qu'il n'en a pas les moyens. Et soudain, c'est

le coup de maître. Il avertit son oncle, membre du Conseil des Dix. Celui-ci envoie le *Capo* des Dix calmer la fureur de la foule et annoncer la création d'un fonds de garantie, tandis qu'il contacte, dans toute l'Italie, parents et relations pour qu'ils s'en portent garants. La banque est sauvée.
Alvise reconstitue en toute hâte ses réserves financières, si bien qu'un an plus tard il se paie le luxe d'annoncer, vêtu d'écarlate sur le pont du Rialto : *« Je rembourse tout. »* La confiance est si forte que l'ouverture de sa nouvelle banque

en 1504 est un énorme succès. Il contrôle aussi une part importante du pouvoir politique. Son fils devient cardinal et les noces de sa fille sont splendides. Le doge Andrea Gritti lui doit son élection de 1523. La haute fonction de commissaire dans l'armée véneto-française lui est réservée. Une nuit de fête, on découvre pourtant sur le portique du Rialto une inquiétante prophétie : *« Alvise Pisani, traîtrissime. Sous ce doge, tu vendras le palais. »* En 1587, Alvise est mort depuis longtemps quand la faillite rattrape sa banque. ∎

Selon l'Evangile, Matthieu exerçait le métier de percepteur lorsque Jésus l'invita à le suivre. Carpaccio, dans ce détail de « la Vocation de saint Matthieu », représente l'apôtre devant la boutique d'un agent de change, tel qu'on pouvait les voir au XVIe siècle. 141 × 115 cm. Venise, Scuola di San Giorgio degli Schiavoni.

1556

Charles Quint abdique : sa couronne échoit à son frère Ferdinand Ier, tandis que Philippe, son fils, reçoit l'Espagne, les domaines outre-Atlantique et les possessions italiennes.

A Venise, grève des cardeurs de laine, en réponse à une hausse des impôts, et épidémie de peste.

Mort de l'Arétin. Sansovino achève le palais Corner. Véronèse entreprend la décoration de l'église San Sebastiano.

1558

Philippe II conquiert les Pays-Bas alors que Charles Quint, son père, meurt au monastère de Yuste.

Elizabeth Ire devient reine d'Angleterre et Marie Stuart épouse le dauphin du royaume de France.

Titien achève le portrait de Fabrizio Salvaresio.

1559

Le traité du Cateau-Cambrésis renforce la domination de l'Espagne et de l'Autriche sur l'Italie et met fin à l'aventure française dans la péninsule. Ce rapprochement accentue la répression anti-huguenote en France. La mort d'Henri II lors d'un tournoi précipite le début des guerres de Religion.

Paul IV Carafa institue l'Index des livres prohibés.

Giambattista Franco, Battista del Moro et Véronèse exécutent les décors de la Biblioteca Marciana à Venise.

1562

Le duc de Guise dirige le massacre de la population protestante de Wassy : cet événement déclenche les premières guerres de Religion en France.

Ronsard publie ses *Discours des misères de ce temps*.

Titien promet une *Vierge et l'Enfant* à Philippe II.

1563

Après l'assassinat de François de Guise, l'édit d'Amboise permet l'établissement provisoire d'une paix religieuse en France. Le concile de Trente, ouvert en 1545, s'achève. Venise en accepte les délibérations. La cité compte près de 160 000 habitants.

Rabelais prépare la publication de son *Cinquième Livre*.

Philippe II décide la construction du monastère de l'Escorial. Véronèse termine *les Noces de Cana* dans le réfectoire de San Giorgio Maggiore de Venise.

1567

Les protestants français s'attaquent aux troupes catholiques et espagnoles et relancent ainsi la guerre civile. Ils réclament aussi une monarchie contrôlée par les états généraux.

Jacopo di Antonio Negretti, dit Palma le Jeune, âgé de vingt ans, arrive à Rome où il restera jusqu'en 1573.

Domenikos Theotokopoulos, dit Greco, s'installe à Venise.

Titien envoie au pape Pie V plusieurs toiles, et annonce à Philipe II que *le Martyre de saint Laurent* est terminé.

1569

Après l'assassinat de Louis de Condé, une troisième guerre de Religion éclate en France.

Venise, malgré le terrible incendie de l'Arsenal, accorde un second prêt de 100 000 ducats d'or à la France après le premier déjà consenti sept ans auparavant.

Mort de Pieter Bruegel, dit l'Ancien.

La seconde édition des *Vite* de Vasari, publiée l'année précédente, rencontre un grand succès.

Greco, devenu protégé de Titien, quitte Venise pour se rendre à Rome.

En 1545 s'ouvre le concile de Trente. Il ne sera clos officiellement qu'en 1563, après avoir donné naissance au mouvement de la Contre-Réforme et imprimé à l'Eglise catholique le visage qu'elle devait garder jusqu'au XXe siècle. Ecole vénitienne. Huile sur toile. 117 × 176 cm. Paris, musée du Louvre.

Titien : « Etude de casque ». Fusain et craie blanche. 45,2 × 35,8 cm. Florence, galerie des Offices.

La victoire maritime des chrétiens sur les Turcs à Lépante marque un coup d'arrêt à l'expansion ottomane vers la Méditerranée occidentale. Véronèse : « Allégorie de la bataille de Lépante » [détail]. Huile sur toile. 169 × 137 cm. Venise, galerie de l'Académie.

les Turcs arrêtés à Lépante

Le dimanche 7 octobre 1571, le golfe de Corinthe en Grèce, au large de la ville de Lépante, est le théâtre de la plus formidable bataille navale du siècle. L'armada de la Sainte Ligue, qui rassemble les Vénitiens, les Espagnols et les vaisseaux du pape Pie V, fond sur la flotte turque emmenée par Ali Pacha. Quelque 170 000 hommes s'apprêtent à en découdre. La bataille se préparait depuis des mois. Face à l'Empire ottoman, qui contrôle

1570

En Méditerranée, les Ottomans ravissent Chypre à Venise. Une ligue de croisés se rassemble sur l'initiative de Philippe II.

En France, François Clouet, peintre attitré de la royauté française depuis 1540, signe le portrait de Jeanne d'Albret et l'année suivante celui d'Elisabeth d'Autriche, femme de Charles IX.

Andrea Palladio publie les *Quatre Livres d'architecture*. Mort de Sansovino.

1571

Face à la menace turque, Venise fait alliance avec l'Espagne et le pape. La flotte turque est décimée lors de la décisive bataille de Lépante grâce à l'habileté tactique de l'amiral Sebastiano Venier. La progression ottomane est brisée, et Venise sauve les îles ioniennes, la Dalmatie, Zante et Corfou.

En France, Jean Cousin, dit le Fils, publie le *Livre de pourtraicture* portant sur l'étude des proportions du corps humain. Paris Bordone meurt à Venise.

Sebastiano Venier remercie le Christ pour sa victoire.
Véronèse :
« Allégorie de la bataille de Lépante » [détail].
Huile sur toile.
285 × 565 cm.
Venise, palais ducal.

1572

3 500 protestants sont massacrés lors de la nuit de la Saint-Barthélemy à Paris. La France est plongée dans la quatrième guerre de Religion. En 1573, Catherine de Médicis négocie la paix avec les protestants.

Véronèse peint la Cène. A la suite de son procès devant l'Inquisition en 1573, il modifiera le titre en l'appelant *le Repas chez Lévi*. Le peintre obtient la commande de *la Bataille de Lépante* pour la salle du Grand Conseil du palais ducal.

1574

En France, la mort de Charles IX coïncide avec une reprise de la guerre religieuse. En route vers Paris où l'attend la couronne de France, le roi de Pologne, Henri de Valois, futur Henri III, fait halte à Venise où il est reçu en grande pompe. Il y rencontrera Titien. Les Ottomans s'installent définitivement à Tunis.

A Edirne, en Turquie, l'architecte Sinan construit la mosquée Süleymaniye. Jacopo da Ponte, dit le Bassan, peint *la Prédication de saint Paul*. L'incendie du palais des Doges détruit plusieurs peintures de Titien.

1575

La peste frappe Venise pendant trois années consécutives.

En France, Antoine Caron peint *les Astrologues observant une éclipse*, rappelant celle de 1574 qui coïncida avec la mort de Charles IX.

Titien envoie à Philippe II le tableau célébrant la victoire de Lépante, une œuvre commencée quatre ans plus tôt.

1576

En France, la constitution de la Sainte Ligue débouche sur la « sixième » et la « septième » guerre de Religion.

Titien meurt dans sa maison de Biri Grande à Venise, le 27 août. Il est solennellement enterré le lendemain dans l'église de Santa Maria Gloriosa dei Frari. Le registre des morts indique cent trois ans.

une partie de la Méditerranée et vient de conquérir la colonie vénitienne de Chypre, s'est constituée une alliance temporaire d'intérêts variés. Les Vénitiens, pourtant soucieux de maintenir leurs relations commerciales avec les Turcs, veulent récupérer Chypre. Philippe II d'Espagne entend mettre un terme aux avancées des Maures vers l'ouest de la Méditerranée. Quant à Pie V, il rêve de lancer une nouvelle croisade.

Le 7 octobre au matin, donc, les navires alliés arrivent enfin en vue de la redoutée flotte turque. Le commandant en chef de la Sainte Ligue, Don Juan d'Autriche, vingt-six ans, fils naturel de Charles Quint, beau et fougueux héros de la guerre contre les Maures à Grenade, fait hisser l'étendard des chrétiens. *« Allant à la rencontre l'une de l'autre, les deux armées étaient dans l'épouvante : les casques brillants, les corselets lumineux des nôtres, les boucliers d'acier tels des miroirs »*, raconte Girolamo Diedo, soldat chrétien embarqué dans une galère. Bientôt, les vaisseaux se touchent, les hommes sautent sur les ponts et s'engagent dans une lutte au corps à corps.

Leurs cris couverts par le tonnerre de l'artillerie et la clameur des trompettes, menacés à chaque instant par les flèches et les arquebuses, les soldats s'étripent toute la journée. En fin d'après-midi, *« une énorme quantité de turbans, qui paraissaient n'en faire qu'un tant les combattants étaient nombreux sur la galère ennemie, roulent sur le sol avec les têtes ; parmi elles, celle d'Ali, qui est fauchée au ras du buste et qu'on hisse sur une lance pour la faire bien voir au loin »*. La victoire alliée est assurée. A la tombée de la nuit, on compte 7 500 morts chrétiens, et quelque 20 000 à 30 000 Turcs.

Une immense fête salue l'événement dans toute l'Italie et l'Espagne. A Venise, on ne trouve pas une boutique ouverte pendant une semaine : *« Chiuso per la morte di Turchi. »* La fête, pourtant, sera de courte durée.

Dès l'année suivante, les alliés s'avèrent incapables de maintenir leur unité, tandis que les Turcs reconstituent leur flotte et défendent leur empire. Venise accepte une lourde paix qui l'ampute d'une partie de ses colonies méditerranéennes mais préserve ses liens commerciaux avec le Levant. ∎

1577

Un nouvel incendie éclate au palais des Doges le 20 décembre. Le désastre total est évité grâce à l'intervention de la brigade de pompiers constituée par l'élite des maîtres de l'Arsenal.

Véronèse achève *le Triomphe de Venise* pour le plafond de la salle du Grand Conseil au palais ducal. Palma le Jeune participe à la décoration du palais des Doges.

Les incendies sont une calamité qui ravage régulièrement les cités de la Renaissance. Celui du palais ducal, en 1577, illustré ici dans une gravure de Georges Hufnagel, endommagea notamment la grande fresque de Guariento où figurait le couronnement de la Vierge.

1580

Philipe II accède au trône du Portugal. La puissance de l'Espagne est alors à son apogée. Les heurts sont permanents avec le grand rival turc. Le métal précieux en provenance d'Amérique commence à se déverser en Europe.

En France, Montaigne se prépare à publier les *Essais*. Greco peint pour Philippe II *l'Adoration du nom de Jésus*, longtemps appelé le *Songe de Philippe II*.

1582

L'Europe catholique s'endort le 4 octobre et se réveille le 15. Ainsi l'a voulu Grégoire XIII qui réforme le calendrier Julien, décalé de dix jours par rapport au temps réel.

Les pouvoirs du Conseil des Dix de Venise sont restreints.

Le pape Grégoire XIII siégeant avec la commission pour la réforme du calendrier. Tablette de Bicherna, 1582.

Véronèse au banc des accusés

18 juillet 1573. Paolo Caliari, dit Véronèse, comparaît au Saint Office, devant le tribunal sacré présidé par l'archevêque Dei, Romain d'origine, représentant de la tendance dure de l'Inquisition.

« Quelle est votre profession ?
– Je peins et je fais des figures.
– Avez-vous connaissance des raisons pour lesquelles vous avez été appelé ?
– Je puis bien me les imaginer. »
Véronèse évoque alors un vaste tableau représentant la Cène qui réunit Jésus-Christ avec ses apôtres dans la maison de Simon. Une œuvre commandée par le prieur du couvent dei Santi Giovanni e Paolo à Venise... celle peinte par Titien, qui en ornait le réfectoire, venant de brûler. Titien était trop vieux pour se remettre à l'ouvrage – il allait mourir cinq ans plus tard – on s'était donc adressé à Véronèse.

Le président du Saint-Office reprend : *« Que signifient ces gens armés et habillés à la mode d'Allemagne, tenant une hallebarde à la main ?*
– Nous autres peintres, nous prenons les licences que prennent les poètes et les fous, et j'ai représenté ces hallebardiers [...] car il m'a paru convenable et possible que le maître de maison, riche et magnifique, dût avoir de tels serviteurs. »
Le président s'impatiente.
« Ne savez-vous pas qu'en Allemagne et autres lieux infestés d'hérésie, ils ont coutume, avec leurs peintures pleines de niaiseries, d'avilir et de tourner en ridicule les choses de la sainte Eglise catholique, pour enseigner ainsi la fausse doctrine aux gens ignorants ou dépourvus de bon sens ? »
Paolo convient que c'est mal, mais il appelle à l'aide ses aînés :
« Michel-Ange à Rome, dans la chapelle du pape, a peint notre Seigneur, sa mère, saint Jean, saint Pierre et la cour céleste, et il a représenté toutes les figurines, depuis la Vierge Marie, et dans des attitudes diverses qui ne sont pas trop conformes au respect de la dévotion. »
Véronèse finalement va bien s'en tirer. Le tribunal le condamne *« à corriger et amender son tableau »*. Ce qui constitue

une sanction bien légère. Il se contentera d'en changer le titre en le baptisant *le Repas chez Levi*. Il faut dire que l'homme n'est pas n'importe qui. Il est celui à qui l'on a demandé de peindre les commémorations officielles de la bataille de Lépante gagnée sur le terrible ennemi ottoman. Par ailleurs Venise n'a jamais toléré les agissements de l'Inquisition sur son territoire. Le deuxième président du tribunal qui juge Paolo est le patriarche Trevisani, très attaché aux privilèges de la ville en matière de juridiction ecclésiastique. Le président Dei n'a donc pas les coudées franches. Pourtant il ne s'agit pas d'une formalité. Le tribunal soupçonne le peintre de subir une influence et d'avoir mis en scène, même sans le vouloir, une moquerie luthérienne du sacrement de l'eucharistie. A la fin de la séance le président demande d'ailleurs à Véronèse *« si quelque personne lui a commandé de peindre ces quatre Allemands et ces bouffons et le reste »*.
Au-delà, il est question de la légitimité des images sur l'autel. Le concile de Trente la maintient solennellement contre la critique luthérienne et surtout calviniste. Toutefois il recommande aux

1585

C'est la dernière guerre de Religion en France. Henri de Navarre est déchu de ses droits à la Couronne par Sixte Quint.

Les Carrache (Ludovico, Agostino, Annibale) fondent à Bologne l'Accademia degli Incomminati dont l'enseignement, en réaction contre le maniérisme, prône un retour à plus de simplicité.

1587

A Venise, la faillite générale de la banque Pisani conduit le gouvernement à instaurer une première banque à monopole, la Banco della Piazza. L'ambassadeur de Venise à Constantinople objecte aux Turcs, qui prévoient de percer un canal Nil-Suez, que le projet est impossible en raison des sables mouvants.

Tintoret achève la décoration de la Scuola San Rocco, commencée depuis 1562. C'est son plus vaste ensemble décoratif.

1588

Coup d'arrêt décisif à la puissance espagnole et catholique : l'Invincible Armada échoue devant les côtes britanniques. En France, les états généraux de Blois sont réunis pour tenter de mettre fin à la crise de succession du royaume.

Tintoret peint son dernier tableau pour le palais des Doges, *le Paradis*. Mort de Véronèse.

1590

Henri III, le très modéré, est assassiné par un moine fanatique. Henri de Navarre lui succède à la tête du royaume de France sous le nom d'Henri IV. Mais la Ligue, qui a proclamé roi le cardinal de Bourbon, lui résiste. Henri IV assiège Paris et le pape reconduit son excommunication.

A Rome, Michelangelo Merisi, dit Caravage, se met au service du Cavalier d'Arpin, dont il méprise par ailleurs le maniérisme érudit.

1594

Après avoir abjuré le protestantisme à Saint-Denis, Henri IV est couronné dans la cathédrale de Chartres. Il déclare la guerre à l'Espagne et nomme Sully membre du conseil royal de direction des affaires et finances. En septembre 1595, Henri IV et le pape concluent la paix.

Naissance de Nicolas Poussin.

A Rome, *les Eléments* d'Euclide sont imprimés en arabe, d'après la recension de Naçir ad-Din at-Tûsi.

Mort de Tintoret à Venise.

1598

L'édit de Nantes met fin aux guerres de Religion en France, et la paix de Vervins est signée avec l'Espagne. Boris Godounov devient le nouveau tsar de Russie.

Naissance de Giovanni Lorenzo Bernini, dit Bernin, qui achèvera l'aménagement de Saint-Pierre du Vatican en érigeant la colonnade elliptique.

1600

Le mariage d'Henri IV et de Marie de Médicis est célébré par procuration à Florence.

Pour Venise, une époque va s'achever : le pape jettera l'Interdit sur la ville en 1606.

Pour avoir diffusé les idées hérétiques de Copernic, le philosophe Giordano Bruno, arrêté à Venise, est brûlé vif à Rome.

Caravage réalise sa première commande officielle, *la Vocation de saint Matthieu* pour la chapelle Contarelli à Saint-Louis des Français à Rome.

autorités ecclésiastiques de rappeler aux artistes les règles de la *convenienza* et du decorum. Les nudités du *Jugement dernier* de Michel-Ange viennent d'ailleurs d'être recouvertes sur ordre pontifical. Bien sûr l'avertissement vient de Rome et son impact est relatif à Venise. Pourtant il inaugure une ère nouvelle : pour la première fois l'Eglise se mêle d'iconographie. Les « *peintres, les poètes et les fous* » devront dorénavant ruser un peu plus pour imposer ces « *licences* » que revendiquait Paolo en ce 18 juillet 1573. ∎

Les hallebardiers allemands peints par Véronèse dans sa représentation de la Cène provoquèrent les foudres de l'Inquisition. « Le Repas chez Levi » [détail]. 1573. Huile sur toile. 555 × 1305 cm. Venise, galerie de l'Académie.

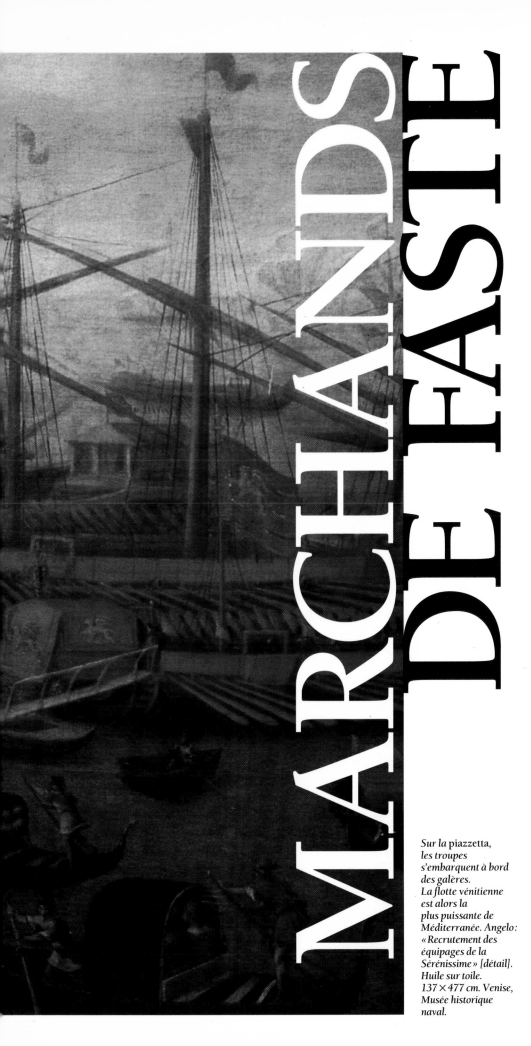

MARCHANDS DE FASTE

Sur la piazzetta, les troupes s'embarquent à bord des galères. La flotte vénitienne est alors la plus puissante de Méditerranée. Angelo: «Recrutement des équipages de la Sérénissime» [détail]. Huile sur toile. 137 × 477 cm. Venise, Musée historique naval.

Venise a une raison d'être : la fortune. Venise a un cerveau : les institutions de la République. Venise a une chair : la ville, sa magnificence exubérante. A l'apogée de sa puissance, la Sérénissime va marier la richesse à la politique et la politique à l'architecture. Les activités traditionnelles de la cité, marine, commerce, finance, se diversifient dans la soierie et l'industrie. Cette prospérité s'appuie sur un système politique d'une rare subtilité, conçu pour favoriser le progrès économique, préserver le pouvoir des possédants, et éviter la tyrannie d'un seul. La formidable puissance de la ville s'incarne dans son image. Architecture, urbanisme, décoration : une volonté politique frottée d'idéaux humanistes va dessiner un paysage urbain à la mesure du génie vénitien. Y répondra le paysage domestiqué des terres de Vénétie. Poussés par la concurrence maritime, les hommes de la mer redécouvrent la Terre ferme. En moins d'un siècle, les friches assainies cèdent la place à de grands domaines agricoles. Les Vénitiens ont dompté une trinité à l'image de leur civilisation : la mer, la terre, la ville.

Les doges Antonio Grimani et Andrea Gritti peints par Domenico Tintoret dans la salle du Grand Conseil.

TOUTES LES PLACES AUX NOBLES

« Les gentilhommes vénitiens le sont plus de nom que de fait. Comme leurs richesses sont fondées sur le commerce et consistent en biens meubles, ils n'ont ni grandes propriétés en terre, ni châteaux, ni juridiction sur des sujets. Le nom de gentilhomme n'est chez eux qu'un titre fait pour attirer le respect et n'est nullement établi sur aucun des avantages dont les nobles jouissent ailleurs. Venise n'est divisée en noblesse et peuple que comme les autres républiques sont divisées en différentes classes sous des noms différents ; il est convenu que les nobles y ont tous les honneurs, toutes les places, que le peuple en est exclu ; ce partage ne provoque aucun désordre. »
Machiavel, « Discours sur la première décade de Tite-Live », I, LV.

la *f*ortune de la république

Le Lion de saint Marc, emblème de la Sérénissime, marque l'entrée de nombreux ports en Méditerranée orientale. Marque typographique d'imprimeurs vénitiens, 1523.

Conserver le pouvoir entre les mains des familles bien nées, mais surtout se garder de la trop grande puissance d'un seul : au cours du siècle, les institutions de la Sérénissime assoient et protègent les fortunes tutélaires de ses patriciens. Socialement conservatrices, elles sont le ferment et le moteur de la modernité économique. La République n'a jamais été aussi riche.

Une République de plus en plus élitiste où le peuple n'a plus voix au chapitre : au XVIe siècle, Venise a bel et bien mis en place une organisation parfaitement rodée. Une ville-Etat où les patriciens sont aussi des marchands, attentifs au bon fonctionnement et à la stabilité d'institutions qui les servent. Une plaque tournante commerciale où l'Etat affrète des galères, décide de leurs chargements en marchandises et se porte garant de leur bon acheminement. Une cité hors norme donc, qui accomplit le tour de force de maintenir profondément ancré chez tous les habitants de la ville un formidable sentiment collectif de puissance, et la certitude de l'excellence des institutions et des lois.

Les affaires d'Etat se règlent donc au sommet, entre gens de même rang

ENQUÊTER SUR LES CONSTRUCTIONS LAIDES

« La splendeur de cette cité est offusquée par beaucoup de laideurs et d'encombrements, et cela est dû au fait qu'on n'a jamais établi les responsabilités en matière d'embellissement et d'aménagement urbains [...]. Deux sages et honorables gentilhommes [...] auront soin de l'embellissement et des aménagements de la cité, ajoutant ou retranchant toute chose à propos, enquêtant et examinant les constructions laides et encombrantes, et il en est, en quantité, qu'il serait aisé de faire abattre ou d'adapter sans dépense publique, ni grand dépens des particuliers, mais pour leur bien et satisfaction. » *Délibération du sénat, 1535.*

Sénateur et noble Vénitienne représentés dans un ouvrage sur l'histoire de l'habillement imprimé à Berlin à la fin du XIXᵉ siècle.

Le sénat de Venise règle la politique étrangère et la vie économique de la cité. Gravure de Giacomo Franco.

IDOLÂTRES DE L'ÉTAT

« Les Vénitiens veulent sembler chrétiens en face du monde, mais en réalité ils ne se soucient guère de Dieu et si ce n'est l'Etat, qu'ils idolâtrent, ils ne tiennent rien pour sacré. Aux yeux d'un Vénitien est juste ce qui est bon pour l'Etat, est pieux ce qui accroît son empire. Ils mesurent l'honneur à l'aune des décrets de leur sénat, non pas à celle de la raison [...] Ce que le sénat approuve est saint même si c'est contraire aux Evangiles. » *Pie II, « Commentaires », 1464.*

La cérémonie des épousailles avec la mer symbolisait le contrôle exercé sur l'Adriatique par la République. Malgré le déclin de la puissance maritime de Venise, cette fête continua a être célébrée avec magnificence. Pâris Bordone : « la Présentation de l'anneau au doge ». Huile sur toile. 370 × 300 cm. Venise, galerie de l'Académie.

associant fortune et compétence, soit quelques milliers de nobles égaux en droit. Tous les conseillers, diplomates, podestats, amiraux et doges ont la même origine : les deux cents familles influentes qui ont fait de Venise la république des marchands et dont les noms sont inscrits au *Livre d'or*. Grâce à ce *Who's who*, on sait qui fait partie de l'élite de la ville, qui est membre de droit du Grand Conseil. De père en fils, on accède au patriciat à condition de faire partie des *case vecchie* — les vingt-quatre vieilles familles théoriquement descendantes des tribuns —, des *case nuove* — les seize nouvelles familles du XIIᵉ et XIIIᵉ siècle — ou des *case nuovissime* — les familles récentes récompensées pour des services particulièrement remarquables. Trente et une élues en tout et

pour tout en quatre siècles ! Tous ces nobles sont rassemblés au sein d'un Grand Conseil, dont le pouvoir, initialement législatif, s'exerce essentiellement par des votes de défiance et l'élection de patriciens aux charges et offices. Les plus pauvres d'entre eux peuvent ainsi tirer profit de leur pouvoir : le marchandage des voix et la manipulation électorale sont parmi les exercices favoris de la Venise démocratique. L'apprentissage des réalités commence tôt : l'Ecole de la chancellerie, au sein du palais ducal, accueille des élèves à partir de l'âge de douze ans. Dans cette ENA locale, on enseigne le droit maritime et la classification des archives, avant le latin ! Dès vingt-cinq ans, les jeunes aristocrates, imprégnés de science civile, entrent en politique. Leur

tremplin : le Grand Conseil. Pour éviter toute dérive vers un pouvoir personnel excessif, Venise privilégie les mandats courts — jamais plus de dix-huit mois — et recommande des « vacances » entre deux mandats de haut niveau. Le *cursus honorum* passe donc par tous les métiers et un apprentissage continu des responsabilités. S'enchaînent une mission à la tête des services médicaux et de dépistage, un office judiciaire, un poste de gouverneur sur la Terre ferme ou d'ambassadeur sous des cieux plus lointains. Les Vénitiens disposent de diplomates remarquables, non pas de simples ambassadeurs mais des correspondants résidents, qui rendent compte, avec justesse et précision, de l'état du monde et des opinions qu'ils y recueillent, à Paris, Madrid, Londres, Vienne ou Constantinople. Et les relations des ambassadeurs — qui durent parfois plus de quatre heures — génèrent une affluence exceptionnelle au sénat !

Au sommet de la pyramide du pouvoir, paré d'or et de pourpre, élu à vie par et parmi ses pairs, le doge, premier magistrat de la cité, que l'on appelle aussi *Il Principe*, le prince... Ses peintres officiels, Bellini, Titien et Tintoret le célèbrent, léguant à la postérité des portraits pleins de componction. Même si les institutions vénitiennes ont tendu à réduire son rôle au fil des siècles au nom d'un rejet viscéral du pouvoir d'un seul, il reste un homme d'influence assurant la continuité et présidant de droit tous les conseils. Ces conseils de nobles éligibles détiennent l'essentiel du pouvoir, selon une tradition collégiale bien ancrée. Le premier de tous est le Conseil des Dix. Véritable instrument de conservation sociale, cette cour de justice d'exception veille à la sécurité de l'Etat, s'appuyant sur des informateurs et encourageant la délation ; mais surtout, elle règlemente la vie privée et publique des Vénitiens. Le Conseil des Dix

Titien: « Saint Pierre trônant avec Jacopo Pesaro et le pape Alexandre VI ». Huile sur toile. 145 × 183 cm. Anvers, Koninklijk Museum Voor Schone Kunsten.

LE CIMETIÈRE D'UNE RÉPUTATION

« Je rentrais chez moi vers quatre heures lorsqu'on m'a remis à l'improviste votre lettre qui annonçait l'écroulement de la construction de Sansovino et l'incarcération qui a suivi [...] Au lieu de dormir, j'ai passé la nuit à peser le sombre degré d'ignominie où le sort a jeté un homme si capable et honnête, et je conclus sur l'étrange cruauté du sort qui a fait de cette œuvre, tabernacle de la gloire de notre frère, le cimetière de sa réputation. [...]

Avec une magnanime compréhension, nos excellents gouvernants accusent la hâte de terminer, l'inexpérience des ouvriers, la vigueur de l'hiver et il faut y ajouter les dégâts des secousses qui ont ébranlé et fissuré la construction lors des tirs tonitruants de canons bourrés non loin de là, à l'arrivée de certains bateaux. Aussi notre estimable ami a-t-il retrouvé la faveur d'antan et celui qui l'a arrêté est en prison. »
L'Arétin, lettre à Titien, 1546.

Le Fondaco dei Tedeschi, en 1616. La République y confinait les marchands allemands car si elle les autorisait à commercer dans la ville, la Sérénissime ne leur laissait pas le droit de s'immiscer dans les trafics fructueux du Levant. Gravure de Raphaël Custos.

AU SERVICE DE DIEU

« La plus triomphante cité que j'aie jamais vue et qui plus fait honneur à ambassadeurs et étrangers et qui plus sagement se gouverne et où le service de Dieu est le plus solennellement fait. »
Philippe de Commynes, « Mémoires ».

Saint Marc assiste les provveditori chargés de l'enrôlement des milices maritimes. Angelo : « Recrutement des équipages de la Sérénissime ». Venise, Musée historique naval.

manifeste une fâcheuse tendance à outrepasser ses fonctions, pourtant clairement définies : les cas de trahison et perturbations de la paix de l'Etat, les cessions de terres et de possessions de l'Etat réclamant des tractations secrètes, le « vice abominable » de la sodomie, la désobéissance des fonctionnaires, la discipline de la chancellerie ducale, celle des écoles de dévotion et d'arts et métiers... et les autres choses importantes pour le bien de la République !

Le sénat, et ses quelque trois cents membres, dirige la politique étrangère, la défense des colonies, la conduite de la guerre et organise la vie économique et financière. Elu pour un an et souvent réélu année après année, le sénateur est

un de ces politiques professionnels, sérieux et informé, fort de ses vertus républicaines et capable de participer à un débat avec éloquence et compétence. Et s'il s'égare dans un discours trop long ou hors sujet, ses pairs se chargent de lui rappeler, par des raclements de gorge et des frottements de pieds, qu'il serait temps d'abréger. Avec l'augmentation des charges fiscales au début du XVIe siècle, la corruption fait là aussi son entrée : moyennant quelques centaines, voire quelques milliers de ducats, certains offices s'ouvrent miraculeusement à des candidats *a priori* peu susceptibles de l'emporter.

Conseils, commissions *ad hoc*, assemblées d'experts... Au XVIe siècle, les ins-

titutions politiques se complexifient, multipliant les instances et les organes de contrôle réciproque. Le principe est de ne rien laisser faire sans droit de regard. Ainsi, les procureurs peuvent siéger à n'importe quel conseil pour vérifier qu'il n'abuse pas de son autorité. Et une magistrature « des inquisiteurs sur le doge défunt » contrôle même le travail des doges et piste tout enrichissement suspect auprès des héritiers... La République a toujours défendu à la fois les intérêts des particuliers et ceux de la collectivité. Elle a surtout œuvré à asseoir solidement la fortune de ses marchands. Car, pour qui veut vendre ou acheter, Venise demeure, durant ce siècle, incontournable : elle est la porte

d'entrée des marchandises, le passage obligatoire pour l'arrière-pays et les nations au-delà des Alpes. Au nouveau siège du Fondaco dei Tedeschi, dont les fresques signées Giorgione et Titien dominent le quartier des affaires du Rialto, tous les marchands allemands, venus échanger les métaux et les produits métallurgiques contre d'autres biens, se retrouvent au coude à coude. D'ailleurs, ils n'ont pas le choix : à la fois entrepôt et lieu de résidence imposé par les Vénitiens, ces comptoirs richement décorés permettent un contrôle et une taxation systématique des marchandises en route pour l'Europe par les routes alpines. Mais à Venise, carrefour des mondes occidental, byzantin, isla-

L'INSOLENCE DE VENISE

« Dans la bonne fortune qu'ils attribuaient à une virtù qu'ils n'avaient pas, l'insolence des Vénitiens allait jusqu'à traiter le roi de France de *bambino* de Saint-Marc. Ils faisaient bon marché de l'Eglise, trouvaient l'Italie trop petite pour eux et s'étaient mis en tête de se tailler un empire pareil à celui des Romains. »
Machiavel, «Discours sur la première décade de Tite-Live », III, XXXI.

mique, slave et oriental, le commerce – pierre angulaire de sa richesse et de sa puissance – passe par la mer. Les navires vénitiens sont partout et l'arsenal est le centre névralgique de la cité, entièrement clos de murailles, sévèrement gardé. A son apogée, vers 1560, quand l'objectif est de maintenir en réserve une centaine de galères de guerre pour faire face aux immenses flottes turques et espagnoles, c'est la plus grande entreprise industrielle de la chrétienté. S'étendant sur plus de trente hectares, il emploie, en cas de crise, jusqu'à 3 000 personnes qui se bousculent pour passer par son unique porte. Des payeurs enregistrent chaque entrée et sortie puis patrouillent dans les fabriques pendant la journée

UNE CITÉ LIBRE

« La cité de Venise, à quiconque y vit, semble paradis terrestre sans ennemis à craindre ni esprits turbulents [...]. Elle s'est maintenue elle-même et gouvernée depuis si longtemps, durant des siècles de paix et de tranquillité, que quiconque désire vivre en paix ne trouvera séjour plus serein [...]. Cette cité est libre, sans divisions ni factions [...] chacun y peut vaquer à ses affaires sans risquer offense ni injure, car violence et injustice y sont inconnues [...] et pour cette raison le peuple s'y multiplie et les étrangers affluent en cette glorieuse cité. »
GirolamoPriuli, «Chronique», IV, 331.

pour rayer de la paie les travailleurs endormis. L'organisation du travail est déjà quasi taylorienne et les navires de plus en plus standardisés, afin de pouvoir les réparer rapidement grâce à des pièces interchangeables : mâts, bancs,

l'arsenal, plus grande entreprise industrielle de la chrétienté

espars... Les coques des vaisseaux sont construites dans les nouveaux arsenaux, près des dépôts de bois, puis acheminées vers l'ancien arsenal où elles passent par une série de magasins où on les équipe : rames, cordages, arquebuses, mortiers. Des contrôleurs de fabrication vérifient le travail des corporations tout au long de la chaîne. Parallèlement, on assiste à une véritable renaissance de la marine marchande, celle des navires non armés (le développement de l'assurance permet de

La construction du nouvel arsenal, commencée en 1473, a permis de doubler la superficie des bassins, des cales et des entrepôts. Antonio di Nadale : « Vue perspective de l'arsenal de Venise ». Dessin et aquarelle.

Chez les ouvriers comme dans les scuole grandi, chaque profession vénère son saint protecteur. Représentés dans un style naïf au XVIIIe siècle, ces fabricants de rames travaillent sous l'effigie de san Bartolomeo.

Saint Joseph, patron des charpentiers, veille sur les ouvriers du bois de l'arsenal. Enseigne de métier, 1517.

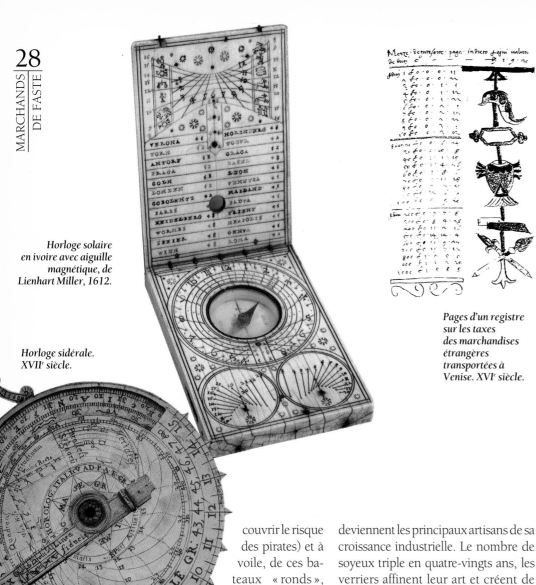

Horloge solaire en ivoire avec aiguille magnétique, de Lienhart Miller, 1612.

Horloge sidérale. XVIIᵉ siècle.

Pages d'un registre sur les taxes des marchandises étrangères transportées à Venise. XVIᵉ siècle.

DE L'UTILITÉ DES JUIFS

« Qu'il soit dit une fois pour toutes que les juifs sont nécessaires au salut des pauvres puisqu'il n'y a en cette ville aucun mont-de-piété comme il en existe dans les autres villes. Il n'est guère envisageable de les expulser et l'on doit se borner à discuter s'il est préférable de les laisser ici ou de les envoyer à Mestre, et si les chapitres (statuts) leur conviennent ou non. Mais l'on ne peut s'en prendre aux juifs en eux-mêmes bien que le prêt soit illicite : le pape lui-même ne les retient-il pas à Rome ? »

Marin Sanudo, « Diarii », tome XXVIII, 1519.

couvrir le risque des pirates) et à voile, de ces bateaux « ronds », aux coques pansues, pouvant jauger jusqu'à 2 000 tonneaux.

Sur les rives du Grand Canal, transitent et s'échangent les marchandises venues du monde entier : blé et épices, bois et bitume, matériaux de construction et chanvre, sel de la lagune et sels des colonies, coton, canne à sucre et vin de Chypre et de Crète, laine, peaux de moutons et draps, or et soieries... Sans oublier les productions des industries traditionnelles de Venise qui ont, à partir de 1550, le « vent en poupe » : fourrures, cuirs repoussés et décorés d'or, pierres précieuses, bijoux et orfèvrerie, verre et cristal. Et puis ces nouvelles productions du siècle que sont les draperies de soie et les lainages...

Signe des temps, Venise entame une diversification de sa richesse en se mettant à produire elle-même, sur place. Chassés de leurs villes d'origine par les guerres d'Italie au début du XVIᵉ siècle, les drapiers se réfugient sur la lagune et deviennent les principaux artisans de sa croissance industrielle. Le nombre de soyeux triple en quatre-vingts ans, les verriers affinent leur art et créent de nouveaux produits comme les sabliers de précision ou les miroirs en verre blanc. Les imprimeries se multiplient et battent de loin le nombre de volumes édités par Milan, Florence et Rome réunies. Bref, les grandes fortunes investissent dans l'industrie, les Vénitiens se sédentarisent. Depuis longtemps déjà, les marchands ne s'embarquent plus avec leurs marchandises. De Bruges, Constantinople ou Raguse, partent leurs ordres de vente au correspondant de la compagnie. A charge pour lui de bien vendre et de prélever au passage 1 à 3 % de commission. Ce correspondant peut être tout simplement le fils du marchand.

Car le commerce est une affaire de famille où le tout jeune homme, muni de quelques rudiments de comptabilité et de grammaire, s'embarque d'abord pour apprendre les dures lois de la navigation et celles de la vente et de l'achat des premières marchandises qui lui sont confiées. A lui ensuite de reprendre le flambeau, de s'associer avec d'autres

L'HARMONIE

HONNEUR ET PROFIT

Galère vénitienne du XVIIᵉ siècle, représentée dans l'ouvrage « De la milice maritime », de Cristoforo da Canal. Venise, palais des Doges.

Palma Le Jeune : « Portrait présumé de Niccolò Cappello, gouverneur de galère », 1576. Huile sur toile. 117 × 91 cm. Paris, musée du Louvre.

Grâce aux correspondances et aux descriptions très détaillées que ses ambassadeurs ramenaient de pays parfois presque inconnus, la République de Venise pouvait mener une politique commerciale et diplomatique redoutable. Ecole de Gentile Bellini : « Réception de Domenico Trevisiano, ambassadeur de Venise au Caire ». Huile sur toile. 175 × 201 cm. Paris, musée du Louvre.

« capitalistes » au sein d'une société en nom collectif pour faire fructifier ses parts. Ou de confier ses marchandises à un bon marin, qui percevra un quart des bénéfices.

Au fil des siècles, les marchands vénitiens ont peaufiné des instruments financiers qui leur permettent d'exercer au mieux leur métier. A la base, une monnaie stable, le ducat – 3,56 g d'or à 24 carats – qui a cours dans tout le bassin méditerranéen et facilite ainsi les règlements tout en résolvant l'épineux problème du change ! Interdits de participation au commerce international, les juifs dits « allemands » de Venise se spécialisent dans l'usure, à un taux théoriquement limité à 15 %. Dans le Ghetto Nuovo, les boutiques de prêts sur gage se multiplient.

Mais les Vénitiens furent aussi des pionniers lorsqu'il s'est agi de dématérialiser la monnaie. Dès 1450, les banques de virement se multiplient, évitant les manipulations d'espèces et permettant les transferts de fonds par un simple jeu d'écritures. Peu à peu, le ducat perd sa valeur d'usage, les commerçants utilisent les lettres de change, les banquiers jouent sur les taux entre les différentes monnaies, l'Etat favorise l'émission de

percer un canal reliant Suez au Nil

monnaie bancaire pour financer ses guerres, les assurances maritimes se multiplient et les entrepreneurs font prospérer leur trésorerie. Leur comptabilité s'affine et se sophistique, leur permettant de suivre au jour le jour l'état de leurs affaires et de leurs finances. Durant ce siècle, Venise n'aura jamais été aussi riche, aussi capable d'adaptation. Estimé à 1 150 000 ducats en 1500, le revenu de l'Etat a presque doublé soixante-dix ans plus tard. Et la république des marchands maintient son influence commerciale, malgré ses vicissitudes maritimes. Elle va même jusqu'à imaginer l'ouverture d'un canal reliant le Nil à Suez. Lancée en 1504, reprise par les Turcs, l'idée chemine, jusqu'en 1586, où le sultan ottoman décide d'abandonner le projet. Les Vénitiens savent aussi rêver... à l'exception toutefois de leur ambassadeur à Constantinople opposé à ce projet inepte et si évidemment impossible en raison des sables mouvants !

■

une puissance gravée dans la Pierre

*Soucieux de préserver
le patrimoine, mais décidé
à offrir à la ville
le lustre qu'elle mérite,
le pouvoir vénitien
cisèle son image. Au cours
du siècle, l'aménagement
de Venise est guidé
par une volonté politique.
Architectes, peintres
et sculpteurs coopèrent pour
rénover une cité qui
incarne dans la pierre
sa puissance et sa fougue.*

*Ci-contre, le
« Miracle du bois de
la Vraie Croix »
peint par Carpaccio,
montre le pont du
Rialto avant
son réaménagement
par Antonio
da Ponte [détail].
Huile sur toile.
365 × 589 cm.
Venise, galerie de
l'Académie.
Et ci-dessus, sur cette
peinture d'un
étudiant allemand du
XVIᵉ siècle, il
apparaît sous la
forme que nous lui
connaissons encore
aujourd'hui.*

Il faut à la République un décor digne de sa souveraineté. Elu en 1523, le doge Andrea Gritti inaugure une politique de grandeur, la *renovatio urbis*. A métropole cosmopolite, architecture triomphale. Mais dans une ville largement médiévale, la construction est un domaine où s'exprime le conservatisme des Vénitiens. Les contraintes techniques sont fortes : construire dans la lagune, c'est bâtir sur des piles de bois, avec des matériaux suffisamment flexibles, comme la brique, pour résister aux mouvances des eaux. Dans cette ville de négoce, les palais sont étroits, tout en profondeur, serrés les uns contre les autres ; la lumière vient de la façade sur le *campo* ou le canal ; au ras de l'eau, les entrepôts du Padrone di Casa... Et comme l'espace est rare, la ville croît par sédimentation : on rebâtit toujours sur place, en plus haut, en plus dense, par rajouts successifs. On n'y trouve rien qui corresponde à cette architecture « à la romaine » plébiscitée par Florence et Rome, rien de « majestueux », mais une architecture fonctionnelle alliée à un goût débridé pour les fantaisies décoratives du gothique tardif, pour les matériaux précieux et colorés qui égaient les façades et masquent la modestie, voire le « bricolage » des structures. D'ailleurs Venise n'a guère d'architecte au sens moderne du mot. Tandis que dans les autres villes d'Italie apparaît, avec Alberti,

Bramante ou Raphaël, la figure héroïque de l'artiste-bâtisseur, à Venise ce sont les « protes », de simples chefs de chantier adossés à leur savoir-faire ancestral et au conservatisme de leur clientèle, qui travaillent au jour le jour aux besoins de la ville. Et lorsqu'au début du siècle l'illustre Fra Giocondo, le plus grand expert de Vitruve vient se fixer à Venise, son talent demeure sans emploi : les autorités n'accordent aucune attention à sa proposition de rebâtir « à l'antique » le vénérable pont du Rialto qu'un incendie vient de détruire. Sa seule réalisation architecturale à Venise se limitera à l'édition de l'*Architecture* de Vitruve par Alde Manuce en 1511. Le verdict de Marin Sanudo dans son journal est sans appel : « *Celui-là, qui n'est pas d'ici, ne comprend rien à la ville.* » Du reste, Venise ne regarde pas vers Rome, mais vers Constantinople, vers l'Orient : la basilique de Saint-Marc,

La place Saint-Marc avant et après les restructurations de Vincenzo Scamozzi : ci-contre une miniature montre une perspective de la place au XVᵉ siècle : les habitations jouxtent encore le campanile, et ci-dessus cette gravure la fait apparaître en 1649, vue du Grand Canal, avec au premier plan à gauche, la nouvelle Biblioteca Marciana construite par Sansovino.

dans sa profusion ornementale, dans l'éclat de ses mosaïques et l'accumulation de ses trophées, demeure le cœur de la Sérénissime.

Andrea Gritti a de la chance. Alors qu'il cherche l'interprète de ses ambitions ar-

à métropole cosmopolite, architecture triomphale

chitecturales, voici que le sac de Rome et la guerre civile à Florence ont conduit à Venise l'une des étoiles de l'architecture « moderne », Jacopo Tatti, dit Sansovino. Dès 1529, Sansovino est nommé prote des *Procuratori de Supra*, un coup de théâtre dans une ville où jamais si vénérable charge n'a été confiée à un

étranger : il a désormais la haute main sur les travaux publics. En 1535 une nouvelle magistrature est créée : deux patriciens ont en charge « *le décor et la beauté de la ville* ». Les grands travaux commencent. Ils transforment le cœur politique de la cité. Sansovino est chargé de bâtir une bibliothèque digne de la collection de manuscrits grecs léguée à Venise, soixante-six ans plus tôt, par le cardinal Bessarion : ce sera, au dire de Palladio lui-même « *l'édifice le plus riche et le plus orné qu'on ait bâti depuis l'Antiquité* ». Il fera face, symboliquement, au palais des Doges. Derrière la *Biblioteca Marciana*, la *Zecca*, la Monnaie, et puis, au pied du campanile, Sansovino bâtit, comme un précieux tabernacle, les trois arcades triomphales de la *Loggetta* où se réunissent rituellement les patriciens.

La *Renovatio* a trouvé son style : « romain » comme il se doit, mais assez flexible et ouvert aux traditions ornementales chères aux Vénitiens pour s'intégrer sans discorde au tissu urbain. Il n'en sera pas toujours de même au cours du siècle.

En 1590, Vincenzo Scamozzi achève, après dix ans de travaux, l'immense chantier de la place Saint-Marc : il s'agit de doter les procurateurs de locaux dignes de la République, de mettre en valeur le campanile en le dégageant des constructions qui le parasitent. Mais si ce champion de l'architecture « romaine » emporte le chantier des *Procuratie nuove*, le cœur des Vénitiens va le plus souvent aux tenants d'un traditionnalisme éclairé. Alors que toutes les étoiles de l'architecture italienne ont déposé des projets, que Michel-Ange a été contacté pour reconstruire le pont du Rialto, c'est un prote bien vénitien qui l'emporte : Antonio da Ponte n'hésite pas à couronner l'arche d'une double rangée de boutiques, pragmatisme oblige. Et la Scuola di San Rocco, dont le faste suscite les foudres des moralistes, provoque le mépris des puristes par sa débauche de couleurs, d'ornements de fantaisies, de semi-colonnes pittoresques... un pastiche bien vénitien d'architecture moderne. Le hérault du style classique, l'idole d'un cercle de patriciens férus d'antiquités et de mathématiques, Palladio, n'imprimera que marginalement sa marque à Venise. C'est sur la Terre ferme, dans les villas patriciennes, qu'il donne toute sa mesure. Il édifie à la Giudecca le gigantesque ex-voto consacré par la ville au lendemain de la grande peste de 1576, l'église du Rédempteur, et c'est sur l'île qui fait face au palais des Doges qu'il bâtit San Giorgio Maggiore : les Vénitiens préfèrent tenir à portée de regard ces deux manifestes de l'architecture moderne qui vont révolutionner l'art de bâtir en Europe...

∎

En haut : Dosso Dossi : « Sainte Famille avec les donateurs » [détail]. Huile sur toile. 98 × 116 cm. Philadelphie, Museum of Art.

Au milieu : Cariani : « Portrait de Caravaggi » [détail]. Huile sur toile. 93,5 × 93,7 cm. Ottawa, National Gallery of Canada.

En bas : Dosso Dossi : « Pan et Echo » [détail]. Huile sur toile. 160 × 132 cm. Malibu, Paul Getty Museum.

Menacée par les Turcs, les pirates, les concurrents, et l'ouverture de nouvelles voies de navigation, la croissance du commerce maritime s'essouffle. Contraints à la reconversion, les Vénitiens redécouvrent la Terre ferme. Cap sur la Vénétie.

l'appel de la *t*erre ferme

« *Lorsqu'il monte à cheval, un Vénitien attend le vent pour partir* » ; « *Pour arrêter sa monture, il jette l'ancre...* » Les Vénitiens, ce peuple qui ne laboure, ni ne sème, ni ne vendange, ont longtemps étonné leurs contemporains ! Il faut attendre le XVe siècle pour que Venise cesse de fixer la ligne bleue de l'horizon marin pour s'intéresser à la Terra ferma, comme ils nomment leurs possessions de Vénétie. Mais il faut les grands revers militaires face aux Turcs, les attaques répétées des pirates, pour que Venise découvre ses racines terriennes... et l'impérieuse nécessité de trouver de nouvelles ressources en blé. Il faut l'accroissement de la concurrence maritime, la découverte des Amériques par l'Espagne, l'ouverture d'une nouvelle voie maritime vers les Indes par les Portugais pour que la Sérénissime remette les pieds sur terre.

Puisque les marchands ne peuvent poursuivre la croissance exponentielle de leurs affaires sur la mer, ils vont investir sur la Terre ferme.

Les patriciens s'installent dans leurs domaines ruraux, acquis au fil des siècles sans grande conviction, juste pour introduire un élément fixe dans une fortune fondée sur le commerce maritime. Même Titien cède à cette nouvelle vogue, cumule les champs et les petites maisons de campagne tout en se lançant dans le commerce du bois. Et tous de se passionner pour l'agronomie. L'Etat s'en mêle, prenant en charge le contrôle de toutes les eaux sur la Terre ferme. En 1562, les premières sociétés d'assainissement font leur apparition. On défriche, on bonifie, on sème... et on récolte : en 1590, les exploitations fournissent 80 % des besoins de Venise.

Alvise Corner est un pionnier de cette « fuite de la mer ». Ce descendant d'une branche peu fortunée de la noble famille du même nom est l'un des tout premiers à faire fortune grâce à ses champs, creusant des canaux et assainissant intensivement. Il publie même quelques ouvrages sur la mise en valeur des terres, écrit un traité de diététique intitulé *De la vie sobre*, livre de référence lu dans toute l'Europe jusqu'au XVIIIe siècle... Et il consacre une grande part de sa fortune à sa maison de Padoue. Car il n'est pas question pour ces *gentlemen farmers* – qui gardent tout de même des intérêts dans le commerce maritime – de renoncer aux plaisirs de l'esthétisme, de l'harmonie et du bien-vivre. Le long de la Brenta, sur la route d'Asolo, les plus grands architectes élèvent des villas somptueuses, à la fois centres d'exploitation agricoles, lieux sociaux et de villégiature où l'on enchaîne fêtes et représentations, et « temples » du loisir studieux, où l'on s'adonne aux arts et aux lettres.

Palladio est alors l'architecte chéri des nouveaux sédentaires. Cet ancien maçon de Padoue, pétri de culture latine et fanatique des ruines romaines, privilégie l'harmonie des proportions sans abuser de l'ornementation : pour l'essentiel, une combinaison de colonnes et de tympans, qui réinvente la villa romaine tout en s'appuyant sur la structure traditionnelle des fermes de la Vénétie. Une architecture de l'ordre qui permet d'allier l'oisiveté créatrice et l'activité productrice et ce, dans la plus grande harmonie, car écrit-il : « *La beauté résultera de la forme et de la correspondance du tout aux parties, des parties entre elles et de celles-ci au tout, de sorte que l'édifice apparaisse comme un corps entier et bien fini dans lequel chaque membre convient aux autres et où tous les membres sont nécessaires à ce qu'on a voulu faire.* » Les « villas-temples » firent école dans le monde entier.

Mais elles marquent aussi une réhabilitation du paysage de la Vénétie, avec ses collines, ses canaux, ses plaines arrachées aux marécages. Un paysage qui fait son entrée dans la peinture. ∎

Giorgione : « la Tempête ». Huile sur toile. 78 × 72 cm. Venise, galerie de l'Académie.

DOGE ET DIPLOMATE

A la fois commerçant et diplomate, Andrea Gritti fut l'une des figures légendaires de Venise. Ce mécène ambitieux entretient avec les Turcs des relations d'amitié qui lui valurent la méfiance des Vénitiens. Elu doge à soixante-trois ans, ce visionnaire, qui pressent le déclin de sa cité, s'attache à en fortifier la puissance.

Titien : « Portrait du doge Andrea Gritti ». Huile sur toile. 133 × 103 cm. Washington, National Gallery of Art.

Fougueux, cassant, autoritaire, despotique même, disaient certains... Andrea Gritti s'inscrit probablement comme l'un des derniers doges de la « vieille école », dont le règne est entré dans la mythologie de la Sérénissime. Son obsession : restaurer la grandeur chancelante de Venise. Notamment en s'appuyant sur les « beaux intellects » de la ville. A peine nommé, ce mécène ambitieux commande ainsi à Titien des peintures pour l'église di San Nicolò, que l'on vient d'édifier devant le palais des Doges. Gritti, représenté au côté de saint Nicolas et des quatre évangélistes, y est alors au faîte de sa gloire...

Traditionnellement, la carrière des jeunes patriciens vénitiens commence soit par l'apprentissage du commerce, soit par celui de la diplomatie. Andrea Gritti, fort de ses études de philosophie à Padoue, cumule les expériences : il apprend coup sur coup le métier de marchand à Constantinople et celui d'ambassadeur avec son grand-père en France et en Espagne. Il en gardera des relations privilégiées avec la capitale de l'Empire ottoman en devenant ami d'Hersec Ahmet Pacha, nommé grand vizir à trois reprises, et la formation de base nécessaire à un futur grand homme politique.

Ce balancement entre les deux mondes décide de son avenir : il épouse la fille d'un doge dont il aura un fils, mais en a quatre autres avec des concubines turques. Il fréquente si assidûment la cour ottomane qu'il est emprisonné pour intelligence avec l'ennemi. Mais, innocenté quelques mois plus tard, ce marchand de grains frôlant la quarantaine et menant grand train, négociera le traité de paix avec les Turcs de main de maître en 1503. Ce sera son ticket d'entrée dans le noyau central du pouvoir. Son amitié indéfectible pour les Turcs et les juifs lui vaut des attaques sévères de ses pairs et de violents sarcasmes. Ce qui ne l'empêche pas d'être élu doge en 1523, à soixante-trois ans, malgré de vives résistances. Car il a aussi ses partisans, ceux notamment qui se souviennent du rôle décisif de ce commissaire de la République dans la reconquête de Padoue en 1509 et la défaite des Français.

Son règne dynamique, en rupture avec ses prédécesseurs, s'achève pourtant sur un échec personnel. En 1537, durant trois jours, il tentera de convaincre le sénat de ne pas repartir en guerre contre le sultan et de préférer une solution diplomatique. En vain : il perd cette bataille de conviction à une voix près... Et il meurt un an plus tard, alors que la Sérénissime repart en guerre contre les Turcs. ∎

L'ARCHITECTE DE SAINT-MARC

Sculpteur et urbaniste, Jacopo Tatti, dit Sansovino, se consacre pendant quarante ans à remodeler Venise. Ami de Titien et de l'Arétin, le protégé du doge Gritti traduit dans la pierre les idéaux humanistes d'équilibre et d'harmonie.

« Il n'est ville en Europe qui ait plus de palais et de grandes voies, sur le Grand Canal comme sur terre, que Venise. Nous les appelons maisons par modestie, car seul le palais du Doge a droit à ce nom (...) Ici, on en compte moins de cent, et tous, anciens et modernes, magnifiques et grands, que ce soit par leur architecture ou leur décoration, les appartements et les lieux destinés à l'habitation... » Difficile de faire plus vénitien que Jacopo Tatti, dit Sansovino, du nom de son maître. Cet architecte florentin, réfugié à Venise en 1527, juste après le sac de Rome, a très vite su se mettre au diapason de la Sérénissime. Familier de Michel-Ange, il est d'ailleurs si bien accueilli – son protecteur s'appelle Andrea Gritti, doge – qu'il refuse les invitations de François Ier et du pape. Nommé en 1529 contremaître de Saint-Marc, il va, durant quarante ans, se consacrer à Venise. Précédé d'une réputation flatteuse acquise dans la capitale pontificale, il s'adapte avec célérité aux spécificités vénitiennes et se lie d'amitié avec Titien et l'Arétin... Bref, l'élite des cercles culturels de son époque, amateurs de soupers fins et de jolies femmes et pressés de remettre en cause toutes les idées reçues. Par exemple, le style gothique si spécifique de l'architecture vénitienne que Sansovino détrônera au profit du « style moderne », le classicisme en vigueur à Rome et à Florence. Mais un style détourné, adapté avec grâce et souplesse à cette « ville si noble et singulière ».

En une quinzaine de monuments, élevés ou remaniés, Sansovino décline le sens de l'harmonie, l'équilibre et la volonté d'adaptation aux fonctions, chers aux intellectuels de la haute Renaissance. Soucieux des perspectives, il dégage le campanile des constructions qui l'enserrent, ouvre la Piazza sur la Piazzetta, et travaille à son grand chantier : le remodelage de la place Saint-Marc. Tout en respectant la tradition architecturale des palais vénitiens, il privilégie la richesse de l'ornement et la splendeur de la décoration, surtout quand il travaille pour des particuliers. Mais il sait aussi jouer la sobriété lorsqu'il s'agit de bâtir les *Fabbriche Nuove*, au Rialto, ou la légèreté pour la *Loggetta*, lieu de rencontre des nobles avant de se rendre au palais. Dans la cour intérieure du palais des Doges, il sculpte un Mercure et un Neptune géants – symboles du commerce et de la mer – au pied de l'escalier, alors rebaptisé *scala dei Giganti*. Et la première balustrade vénitienne qui couronne la bibliothèque, ornée de statues de divinités païennes et d'obélisques, métamorphose la physionomie de la Piazzetta.

L'influence de Sansovino grandit au fil des années : il multiplie les plans, pour la Scuola della Misericordia, l'église San Francesco della Vigna, l'église San Giminiano, le palais Corner ; il commence à repenser la ville en urbaniste. Et les demandes affluent de Florence, de Pola, de Brescia... On le disait plus sculpteur qu'architecte. Ses statues sont effectivement passées à la postérité. Et il est vrai qu'en 1545, la voûte principale de la bibliothèque, juste en face du palais des Doges, s'écroule sous l'effet du gel peu de temps après son achèvement. Une erreur qui lui vaut à l'époque cette piètre réputation de bâtisseur et... la prison. Il s'en tire grâce aux interventions répétées de ses amis Titien et l'Arétin, et de l'ambassadeur de Charles Quint. La reconstruction fut néanmoins à ses frais. *Exit* la voûte « à la romaine ». Le nouveau plafond sera plus traditionnellement rebâti avec des poutres ! ∎

Tintoret : « Portrait de Sansovino ». 1566. Huile sur toile. 70 × 65 cm. Florence, galerie des Offices.

PEINTRES ET MÉCÈNES

Sebastiano del Piombo : « l'Appel » (triple portrait). Huile sur toile. 84 × 69 cm. Détroit, Institute of Arts.

D'un mécène à l'autre, les peintres ne manquent pas d'ouvrage. L'Etat les appelle pour honorer sa splendeur et ne se prive pas de les mettre en compétition. Mais sur la lagune, ce sont aussi les scuole, ces confréries d'assistance et de dévotion, qui influencent la vie artistique. Lancées dans une course effrénée à l'embellissement, elles établissent la renommée d'un artiste. Ses œuvres viendront ensuite enrichir la collection de quelques riches familles patriciennes. Très prisé de ces amateurs d'art, Giorgione partage avec ses seuls commanditaires le secret de ses mystérieux tableaux. Titien, lui, traitera avec tous les mécènes de Venise et d'Europe. Il aligne les titres honorifiques et les charges profitables tandis que son frère et ses fils assurent l'intendance dans son atelier. Sa réputation se forge à coup de centaines de lettres d'éloge ciselées par son grand ami l'Arétin, qui met sa plume acide au service du peintre. Les ducs de Ferrare et de Mantoue en viennent à se disputer le pinceau du maître. Avide d'honneurs, Titien est enfin consacré par sa rencontre avec l'empereur Charles Quint.

Titien: « Portrait d'homme » dit Goldman [détail]. 76 × 63 cm. Washington, National Gallery of Art.

L'HONNEUR DU PEINTRE

« Il faut donc que notre peintre dépense sa jeunesse à visiter les plus nobles contrées du monde [...], qu'il se fasse route, par la force de ses œuvres, jusqu'à l'immortalité, dispensant ses tableaux aux Princes et aux Grands [...]. Et puisqu'il lui faudra parcourir le monde, il est préférable qu'il s'abstienne de prendre femme, lesquelles mutilent notre intégrité et amputent notre liberté par l'amour des enfants et la persuasion féminine. Qu'il fuie les vices [...], qu'il soit sobre en son manger et dans le coït [...], qu'il fuie les personnes viles, ignorantes et légères, qu'il converse avec ceux dont il peut apprendre et s'instruire. Qu'il soit vêtu dignement, et ne soit jamais sans quelque serviteur près de lui [...]. Qu'il accepte le duel de la compétition, qu'il se donne pour défi une œuvre reconnue par tous la plus parfaite en son genre [...], comme fit Giacomo Palma avec Titien pour le retable de saint Pierre martyr : ainsi il défendra, conservera et agrandira l'empire de son honneur [...]. Qu'il n'apparaisse pas en public les mains tachées de toutes les couleurs [...] Qu'il soit diligent pour ne pas lasser son client, sinon on bavardera et il acquerra réputation de lenteur, il ennuiera tout le monde et découragera qui désire portrait ou autre œuvre. »
Paolo Pino, « Dialogue sur la peinture », 1548.

l'art et la Commande

Titien: « la Bataille de Cadore ». Dessin. Pierre noire et touches de lavis brun sur papier bleu. 38,3 × 44,6 cm. Paris, musée du Louvre.

Dans leur course au decorum, l'Etat et l'Eglise sont concurrencés à Venise par les scuole et par les virtuosi, ces amateurs éclairés, qui inaugurent la collection particulière. Les peintres qui œuvrent à la commande sont encore considérés comme des artisans. Seul Titien, réclamé par les cours européennes, se forge un statut à sa mesure.

Soixante tableaux dont huit Bellini, six Titien, sept Giorgione, trois Palma le Vieux, un Mantegna... sans compter les antiques, les sculptures, les gravures, les dessins, sont recensés dans le palais Vendramin. Foyer de *virtuosi* (connaisseurs), on y signale aussi la présence de *la Tempête* de Giorgione dont Gabriele Vendramin, jeune marchand vénitien, fut sans doute le commanditaire. Cette riche famille ne possède pas l'exclusive de l'amour des beaux-arts. Car la collection est une manière, pour les grandes familles vénitiennes, de souligner leur statut tout en enrichissant le patrimoine de la République. Venise n'a pas de cour mais possède certaines des plus grandes collections d'Italie.

Alors que la fresque domine dans toute la péninsule, le recours de plus en plus fréquent au support de toile favorise l'émergence de la commande privée, l'une des particularités vénitiennes. La toile permet des formats modestes qui trouvent tout naturellement place dans

David Téniers le Jeune a peint au XVIIᵉ siècle cette « Galerie de peinture de l'archiduc Léopold Guillaume ». Ce collectionneur passionné possédait, selon un inventaire précis établi en 1659, 1400 tableaux parmi lesquels on peut reconnaître ici : la « Descente de croix » et le « Portrait du doge Francesco Donato » de Tintoret, « les Trois Philosophes » de Giorgione, ainsi que le « Portrait de Jacopo Strada » de Titien. Huile sur toile. 93 × 127 cm. Munich, Bayerische Staatsgemäldesammlungen.

DEUX TRAITS AU FUSAIN

« Pourquoi, ô Monseigneur, ne pas rémunérer l'immense dévotion avec laquelle je m'incline devant vos dons célestes avec la relique que seraient quelques dessins auxquels vous tenez le moins ? C'est vrai, j'apprécierais deux traits au fusain sur une feuille plus que toutes les coupes et colliers offerts par tel ou tel prince. Mais au cas où mon indignité serait un obstacle à la réalisation de mon vœu, je me contente d'une promesse qui me permettrait d'espérer. J'en jouis dans cet espoir et, dans cet espoir, je les contemple déjà et, en les contemplant, je me félicite de ma chance d'avoir su me contenter d'un espoir, qui ne peut manquer de se convertir de rêve en réalité. Ce qui me confirme mon ami Titien, exemple de vie sérieuse et modeste ; propagateur fervent de votre manière surhumaine, il a porté témoignage en vous écrivant, avec tout le respect qu'il vous doit, à propos de la pension accordée à son fils par le pape, pour une intervention de votre sincère bonté en sa faveur, car vous êtes son idole et la mienne. » *L'Arétin*, lettre à Michel-Ange, avril 1544.

A Santa Fosca, le palais de Gabriele Vendramin témoigne de la richesse de ce commerçant amateur d'art.

---

les intérieurs privés. Transportable, elle a l'avantage d'être éventuellement négociable. La « clientèle » de Giorgione est composée en grande partie par des particuliers de l'élite. La collection du patricien Giovanni Grimani passe pour l'une des plus belles d'Europe. Les Barbaro, intellectuels raffinés, sont les hauts protecteurs de Véronèse. A Venise, comme ailleurs, le peintre travaille sur commande. Les plus grands, bien sûr, se permettent quelques écarts. Comme Titien, qui exécute les œuvres demandées, mais laisse également libre cours à son imagination. A charge pour lui, ou pour son fidèle complice, l'Arétin, de trouver ensuite acquéreur !

Par contrat signé devant notaire, le commanditaire indique à l'artiste ce qu'il doit peindre, comment et quand il sera rétribué et enfin la date de livraison du tableau. Le peintre envoie parfois à son commanditaire un dessin qui sera revu, corrigé, rectifié jusqu'à l'accord final. Dans cette discussion intervient

souvent un troisième personnage : le lettré. Tour à tour, il conseille peintres et commanditaires sur la meilleure façon de représenter divinités ou mythes. Titien n'hésite pas à consulter l'Arétin ou Ludovico Dolce. Ce dernier suggère d'ailleurs au créateur, « *s'il n'est pas lettré*,

entre commanditaire et peintre, un contrat signé devant notaire

de connaître au moins les histoires et les poésies en se liant aux poètes et aux savants ». Cependant, certains tableaux, comme *la Tempête*, relèvent du mystère. Le sujet caché, ou le goût du secret, marque – autant que la possession de l'œuvre – l'érudition du commanditai-

re. Reste que, dans la plupart des cas, le peintre a recours aux clés iconographiques énoncées par le lettré. L'homme joue d'ailleurs un autre rôle vis-à-vis de l'artiste : s'il chante ses louanges, il accroît la renommée du peintre et suscite les commandes.

Mais Titien est un cas à part. Car Venise, malgré ses amateurs éclairés, fige encore l'artiste dans un statut d'artisan. De ce point de vue, la République est en retard. A Florence, Vasari parvient à créer une académie du dessin qui réunit architectes, sculpteurs et peintres. Sur la lagune, on ne fait pas encore la différence entre artisanat de luxe et beaux-arts. Les peintres vénitiens appartiennent à une corporation de métiers (Scuola dei Depentori) où ils côtoient des doreurs, des enlumineurs, des peintres de meubles, de cartes à jouer, des brodeurs, etc. En adhérant à la corporation – seul Bellini, en 1483, put échapper à ses règles –, le peintre fait allégeance à l'Etat qui fixe privilèges et pouvoirs. La

commande d'Etat est donc une nécessité pour la consécration.

Quand Titien s'installe à Venise, la République a son peintre officiel : Giovanni Bellini. Comme il meurt en 1516, les deux hommes n'auront guère le temps de s'affronter. Mais l'ambition de Titien est considérable. En 1513, il obtient sa première commande pour le palais des Doges, *la Bataille de Cadore*. Et dès cette date, le jeune homme réclame des avantages égaux à ceux du vieux maître : le paiement de ses deux ouvriers, le remboursement des matières premières, mais surtout le premier courtage libre du Fondaco dei Tedeschi. Bellini est titulaire de l'office du Sel : Titien réclame une reconnaissance équivalente. A la mort de Bellini, c'est Titien qui héritera de sa *sensaria* (charge) très convoitée. Le 23 juin 1537, le sénat évalue son revenu annuel à cent ducats. La *sensaria* devient l'équivalent d'une pension de peintre officiel de la République.

Bellini, Titien, Tintoret, seuls trois

Titien:
« Suzanne
et Daniel ».
Huile sur toile.
139 × 181 cm.
Glasgow,
Art Gallery and
Museum.

DIX SOUS LE TABLEAU

« *Lauro* - Et quand par-viendrons-nous à gagner de l'argent avec nos tableaux ? La pauvreté nous assassine, je vous le dis, et à peine une œuvre est-elle payée que l'argent reçu ne suffit guère pour nous permettre d'arriver à la fin du suivant. On sollicite qui l'on peut pour trouver commande, et pire encore, on doit accepter de peindre jusqu'aux fauteuils puisqu'on n'a rien d'autre pour subsister, car notre art n'est pas nécessaire.

Fabio - Mais pourquoi ne faites-vous pas des tableaux au lieu de ces bêtises honteuses et sans intérêt ?

Lauro - Parce que si l'on avait un Titien à vendre, on le trouverait bon marché : à notre grand' honte, on nous donne dix sous ou moins encore, parce que chaque maison a son peintre : si je devais attendre qu'on me demande, je peindrais plus rarement que n'apparaissent les comètes.

Fabio - Pour vous dire le fond de ma pensée, j'ai peine à vous croire ; étant moi-même malléable comme cire, vous pensez m'impressionner au sceau de l'infortune, et noircissez le paysage, car vous craignez ma jalousie. Mais au vrai, tous ces seigneurs vénitiens me semblent au contraire magnificents et prévenus en faveur des artistes habiles. »

Paolo Pino, « *Dialogue sur la peinture* », 1548.

hommes dans le siècle reçurent ce privilège. Avec pour obligation de réaliser le portrait de chaque nouveau doge. Titien s'autorise des délais dans l'exécution des commandes qu'aucun autre ne se permettra. Commandée en 1513, *la Bataille de Cadore* est livrée en 1538 ! A plusieurs reprises, le sénat, excédé, menace l'artiste de lui retirer sa charge. D'autant que Titien, pour unique qu'il soit, se heurte à un rival d'importance : Pordenone. Le Frioulan a aussi les faveurs de l'Etat. Ainsi, en 1537, dans une lettre adressée aux officiers du Sel, les chefs du Conseil des Dix écrivent : « *[Il faut] confier dans la salle à l'excellent peintre Giovanni Antonio de Pordenone les autres emplacements et tableaux, car il ne nous paraît pas s'imposer d'ajouter aux tableaux commencés par Titien, d'autres peintures à faire.* » Cette même année, Titien perd effectivement le courtage du Sel. Pour deux ans seulement : en 1539, Pordenone meurt subitement et Titien récupère sa charge. La concurrence entre les deux peintres était telle qu'on soupçonnera longtemps le Cadorin d'avoir empoisonné son rival.

Concurrence toujours, quand pour obtenir une commande de l'Etat, les peintres sont prêts à baisser leurs prix. Des sommes fixées généralement, pour la commande publique, en fonction de critères matériels : dimensions (la rétribution étant parfois évaluée au pied car-

des concours pour départager les artistes

ré), temps passé, nombre de figures, présence et valeur des assistants, etc. La renommée semble de peu d'importance. Dans la course à la commande publique, la rétribution n'est pas non plus un élément décisif. L'Etat le sait et en joue. Pour la décoration de la salle du Grand Conseil, les magistrats précisent dans l'une de leurs décisions : « *L'une [des toiles] a déjà été acquise à bon prix, et les autres seront données à d'autres artistes en concurrence parce qu'on arrivera à un prix plus avantageux et qu'on fera travailler des peintres de renom.* »

Pour départager les artistes, les commanditaires, et tout particulièrement les *scuole*, organisent des concours. Autant que l'Etat, elles influencent la vie artistique de la lagune, elles font la renommée d'un artiste. Car la commandite vénitienne repose en grande partie sur leurs prestigieux décors. Les six *scuole grandi* se jaugent, s'observent et chacune s'acharne à dépasser, en grandeur et en splendeur, les cinq autres. C'est un Franciscain, Fra Germano, qui fournit à Titien, en 1516, sa première commande religieuse : une *Assomption* pour le maître-autel de l'église Santa Maria Gloriosa dei Frari. Deux ans plus tard, le public, ébahi par l'audace du peintre, découvre le chef-d'œuvre. Vers 1527, la confrérie des Dominicains de Saint-Pierre-Martyr organise un concours pour le retable de sa chapelle dei Santi Giovanni e Paolo. Titien s'y mesure à Palma le Vieux et emporte la commande. La rivalité qui oppose les deux ordres a peut-être poussé les Dominicains à prouver aux Franciscains qu'eux aussi peuvent s'offrir un Titien ! Les peintres sont parfois prêts à tout pour gagner les concours, qu'ils soient truqués ou pas. La compétition

BASSANO, LE PRODIGUE

« Leandro [Bassano] entretenait chez lui un grand nombre d'élèves, et les emmenait avec lui lorsqu'il sortait : l'un portait son épée d'or, l'autre l'agenda où était noté ce qu'il avait à faire. Il montrait grandeur et splendeur en chacune de ses actions, il se vêtait de riches étoffes, portait une chaîne au cou et les enseignes de saint Marc, il exigeait que tous ses apprentis fussent présents à sa table et que certains y fissent office de goûteurs, pour éprouver ses plats car il avait la hantise d'être empoisonné [...]. Il dépensait en prodigue, surtout pour sa nourriture [...]. Sa maison était fréquentée par une multitude d'hommes de qualité [...]. Il était prompt en réparties. Au cours d'une conversation avec l'ambassadeur d'Espagne, comme celui-ci lui demandait si, son roi venant de conquérir une place forte, il voudrait bien peindre cette victoire, Leandro, tout à trac, lui répondit qu'il lui restait justement un morceau de toile où il avait peint, quelque temps auparavant, la conquête d'une autre place forte par le prince qui, précisément, venait de perdre bataille, et qu'il pourrait s'en servir si besoin était. C'était montrer ainsi, avec sagesse, que la Fortune change souvent de face, surtout en faits de guerre. »

Carlo Ridolfi, « les Merveilles de l'art », II.

Grand collectionneur d'origine milanaise, Andrea Odoni entretenait des relations suivies avec les écrivains et les peintres. Lotto : « Portrait d'Andrea Odoni », 1527. Huile sur toile. 114 × 101 cm. Londres, Hampton Court, collection royale. Saint-James's, Palace, H.M. Queen Elizabeth II.

Pendant près de cinq siècles, la famille d'Este, régnant sur Ferrare, va mener une véritable politique de mécénat et constituer l'une des plus fameuses collections d'art d'Italie. Titien : « Portrait d'Isabelle d'Este », 1536. Huile sur toile. 102 × 64 cm. Vienne, Kunsthistorisches Museum.

organisée par la Scuola di San Rocco illustre l'âpreté de cette lutte. En lice : Véronèse, Salviati, Zuccaro et Tintoret qui offre le tableau et gagne. Par la suite, Tintoret réalise – fait rarissime – l'ensemble du décor de la confrérie.

Mais c'est parce qu'il est demandé au-delà de Venise que Titien marque son époque de façon unique. Alphonse d'Este, duc de Ferrare, est son premier commanditaire princier. Comme les Médicis, la famille d'Este est toquée de peinture et fait venir des œuvres de tou-te l'Italie. Vers 1518, le frère d'Isabelle d'Este envoie au peintre de la toile, un châssis et un programme iconographique pour décorer son cabinet d'albâtre de trois bacchanales. L'artiste doit s'inspirer d'un texte de Philostrate pour peindre *le Culte de Vénus*. Pendant de nombreuses années, Titien travaille pour le duc de Ferrare. Au point de rendre jaloux le neveu du duc, Frédéric II de Gonzague, marquis de Mantoue : sa cour doit, elle aussi, posséder des Titien. Le beau-frère de Frédéric, le duc d'Urbino, deviendra à son tour un mécène du Vénitien.

Dans ces prestigieuses cours du Nord de l'Italie, où le peintre fait de fréquents séjours, Titien apprend à soigner son image, à châtier son langage. Sa renommée est telle qu'elle franchit les frontières d'Italie. En 1532, la domination du Cadorin sur la peinture du siècle est consacrée : Charles Quint le nomme peintre de cour et lui accorde le titre de comte Palatin. La majesté du commanditaire rejaillit sur la gloire de Titien : toutes les cours d'Europe le réclament. A la faveur de cette renommée internationale, Titien change de signature et affirme ainsi son changement de statut. Sur ses tableaux on ne lit plus : « *Titiano depentore* », mais « *Titiano Vecellio-pittore* ». Plus d'artisan ici, de *depentore* (de « peintreur » en quelque sorte, celui qui illustre la toile comme il le fait pour un meuble) ; mais un peintre, le *pittore*, un créateur inspiré, à l'égal du poète. Toutefois, la révolution amorcée par Giorgione et affirmée par Titien ne profite pas à leurs successeurs. Ni Véronèse, ni Tintoret n'exerceront leurs activités dans les conditions imposées par Titien. Les peintres, à l'instar d'autres professions en voie de promotion sociale, sont freinés dans leurs ambitions dans une Italie en phase de « reféodalisation ». Ainsi, il faudra attendre près de deux siècles pour qu'en 1754 une académie de la peinture et de la sculpture soit enfin créée sur la lagune. ∎

Titien : « Portrait de
l'Arétin ». 1545.
Huile sur toile.
108 × 76 cm. Florence,
palais Pitti.

Quand le 15 mars 1527, à l'âge de trente-cinq ans, Pietro Bacci, dit l'Arétin, trouve asile sur la lagune, sa réputation le précède. Par deux fois, il a fui Rome pour échapper aux menaces de mort dont il est l'objet. A cause de sa plume. Pamphlétaire féroce, irrespectueux, auteur de sonnets licencieux, d'écrits religieux, de comédies, il insulte déjà les grands de ce monde. Mais à Venise, où de nombreux artistes et intellectuels se réfugient après le sac de Rome, l'Arétin trouve l'atmosphère idéale pour développer son « réseau ». A sa table, l'une des plus fameuses de la cité, se croisent ambassadeurs, patriciens, artistes, lettrés. Et l'Arétin écoute, recueille, recoupe les confidences que bonne chère et bon vin suscitent. Un système qui fonctionne si bien que, dix ans plus tard, il se proclame, avec la faconde qui lui est propre, « *secrétaire de l'Univers* ».

Paillard, ripailleur, cynique, volontiers obscène, Pietro Bacci trouve sur la lagune compères à sa mesure. Moins de trois mois après son arrivée, il est assis face à Titien qui réalise son premier portrait. Entre les deux hommes, c'est un coup de foudre. Ils ne se quitteront plus. Amis, voisins même – leurs maisons, au centre de Venise, sont distantes de quelques pas –, ils vont peser de façon considérable sur la vie artistique de la ville. Avec le sculpteur et architecte Jacopo Sansovino, ils forment un trio omniprésent dans la vie intellectuelle vénitienne. Mais surtout, l'Arétin met sa plume magnifique, sa verve sans retenue, sa langue souvent perfide au service de Titien. Propagandiste offensif du talent du Cadorin, il chante des louanges dans toutes les cours d'Europe et suscite de nombreuses commandes. L'écrivain ne se limite toutefois pas au seul Titien. Sebastiano del Piombo, Michel-Ange, Sansovino, Tintoret et beaucoup d'autres encore seront loués par lui. Critique d'art avant la lettre, ses avis sont écoutés, au point de faire singulièrement évoluer la vision que le siècle a de la peinture.

Partout, dans toutes les cours, à tous les princes, l'Arétin réclame de l'argent. Pour les artistes. Et pour lui-même ! Il met à profit son talent et les informations qu'il détient pour acheter le silence des plus grands ou se mettre à leur service. Redouté des princes, l'Arétin n'en est pas aimé. Au représentant de

le fléau des princes

François Ier, le duc de Montmorency, il n'hésite pas à écrire : « *Lorsque j'aurai reçu les 400 écus de ma pension annuelle, je publierai le renom de votre roi. Car moi aussi, je suis capitaine, et mes milices ne volent pas leur solde (...). Avec leurs bataillons d'encriers, avec la vérité peinte sur leurs étendards, elles gagnent au prince qu'elles servent plus de gloire que les soldats en armes de territoires.* » Devenu, selon son ambition, « *fléau des princes* », il reçoit de nombreux présents, perçoit une pension de l'Etat de Milan et même de Charles Quint. Marcolini publiera en six volumes les quelques centaines de lettres de l'Arétin. Et l'écrivain renonce à ses honoraires. Car « *passer le soir à la boutique pour retirer l'argent de la recette quotidienne sent le maquereau qui, avant d'aller au lit, vide le sac de sa femme. Je veux, avec la grâce de Dieu, être payé de mes peines d'écrivain par la générosité des princes, non par le pauvre acheteur* ». Quelques semaines après sa mort, en 1556, certaines de ses œuvres sont interdites. Un an plus tard, elles sont toutes mises à l'Index. ∎

Il apostrophe les princes et consent à chanter leurs louanges contre rétribution. Jouisseur, auteur de sonnets obscènes, critique d'art avant la lettre, l'Arétin met sa plume magnifique au service de Titien. Les deux compères resteront unis jusqu'à la mort.

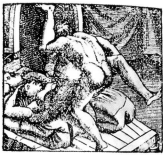

Ces truculentes poses amoureuses, gravées par Marcantonio Raimondi d'après des dessins de Jules Romain, illustrent le recueil de sonnets de l'Arétin, « I Modi ». Imprimé à Venise en 1527, cet ouvrage est l'une des toutes premières œuvres érotiques associant texte et illustrations.

Quand Titien ouvre son premier atelier, en 1512, à deux pas du Grand Canal, son frère, Francesco Vecellio, l'aide à l'organiser. De même qu'il l'aidera lorsque le Cadorin, vingt ans plus tard, à l'étroit dans ses murs, déménage à Biri Grande. Ici, Titien forme son second fils, Orazio. Chez les Vecellio, on est désormais peintre de père en fils – comme on le fut avant chez les Bellini ou, plus tard, chez les Robusti (Tintoret). Le fils reçoit le savoir paternel, participe à la production, hérite de l'entreprise. Une entreprise ? Mieux, une boutique familiale où s'inscrit la mémoire du père et qui représente un investissement considérable. Biens précieux entre tous reçus en héritage : les dessins, les croquis, les modèles, les moulages. Ils recensent les nouveautés, les motifs utiles, les solutions aux problèmes de composition. Chez les Robusti, trois générations assurent la continuité familiale. Quand Jacopo – dit Tintoret parce que son père

était teinturier (tintore) – ouvre boutique, il a tout juste vingt ans. Par la suite, ses deux fils, Domenico et Marco, viennent l'y rejoindre. A l'heure de la vieillesse, Domenico songe tout d'abord à léguer son atelier aux peintres de Venise pour le transformer en académie d'art. Mais la règle vénitienne l'emporte : il finit par désigner son assistant, Sebastiano Casser, comme légataire. Un étranger pour héritier ? Non pas. Ottavia Robusti, la fille de Tintoret, épouse Sebastiano sur ordre de ses frères. Un ordre qu'elle s'engage à respecter, explique-t-elle dans son testament, à condition que Casser « s'avère être un bon peintre ». Le nom de Tintoret est maintenu : l'essentiel de l'héritage familial s'inscrit dans la marque de fabrication. Tout comme le travail d'Orazio Vecellio – mis à part quelques tableaux signés de sa main – se perd dans les toiles de Titien. Mais si Orazio n'eut pas le temps de l'indépendance – il meurt la

même année que son père –, le cas des Caliari fut différent. A la mort de Véronèse, l'entreprise passe sous la houlette de son frère, Benedetto, et de ses deux fils, Carlo et Gabriele. Oncle et neveux terminent, dans l'esprit de Paolo, ses toiles inachevées. Et aucun parmi eux ne semble prétendre à la gloire. Quand Benedetto envoie au patricien Giacomo Contarini un tableau qu'il a commandé, il prend la peine de préciser la part exécutée par chacun : j'ai dessiné la toile, dit-il en substance, Carlo l'a esquissée, Gabriele l'a achevée.

Est-ce à dire pour autant que les étrangers sont exclus des boutiques familiales ? En aucun cas. Les ateliers sont aussi des lieux de production et à ce titre réclament de la main-d'œuvre. Frères, fils, neveux, cousins ne sauraient y suffire, surtout si les commandes sont importantes. Ce sont les *garzoni* (apprentis) qui exécutent les basses tâches. Ils broient les couleurs, nettoient les pin-

ceaux et, petit à petit, apprennent leur métier. En échange, le maître les nourrit et les loge. Parfois, il leur verse un salaire pour qu'ils puissent acheter les vêtements nécessaires. La confrérie des artisans, à laquelle appartiennent les peintres, fixe à six ans la durée de ce contrat. Sous peine d'amende, due par le maître, aucun *garzone* n'a le droit d'ouvrir son atelier avant terme. Mais toute règle existe pour que l'on y déroge : à Venise, la pratique a très souvent contredit la règle. Pour ne citer que les plus illustres, ni Titien, ni Tintoret, ni Véronèse ne se sont soumis à cette loi. En principe, donc, ces six années passées, le *garzone* est soumis à l'épreuve : réaliser une œuvre. Alors il peut ouvrir un atelier et s'installer comme maître. Ou choisir le statut de *lavantore* (assistant auprès d'un maître), payé à la journée, au mois ou à l'année. Une option retenue, par exemple, par Girolamo Dente – appelé, selon son désir, Girolamo di Tiziano – qui reste aux côtés de Titien pendant plus de trente ans. Au cours desquels il forme des générations d'apprentis et surtout les conforme à l'esprit du Cadorin. Point de place, ici, pour l'explosion de talents. Unique, Titien ne cherche pas à faire école. D'une poigne de fer, il bride, voire expulse, celui qui peut lui porter ombrage.

De l'aide partielle à la réalisation presque complète de la toile, le rôle de l'atelier dans l'exécution des travaux varie d'ailleurs selon chaque peintre. Tintoret confie, semble-t-il, à des artistes flamands les fonds de paysage. D'autres se font aider pour des fragments plus ou moins importants. Titien, quant à lui, passe pour avoir laissé, au fil du temps, toutes ses petites (et parfois belles) mains réaliser à sa place une partie de ses très nombreuses commandes. Tout en imposant et opposant sa touche. Et sa signature. ∎

au nom du maître

Entreprise familiale, l'atelier vénitien se transmet de père en fils. Entouré de ses proches, le peintre accueille aussi apprentis et collaborateurs anonymes. Qui exécutent à l'ombre du maître et prennent leur envol si le talent a éclos.

Titien cumulait pensions et bénéfices élevés. C'est lui que Jacopo Bassano aurait représenté dans ce détail de « la Purification du temple », sous les traits d'un usurier. Huile sur toile. 158,7 × 265 cm. Londres, National Gallery.

LE POUVOIR EN PEINTURE

« Portrait de Charles Quint ». Ce tableau pourrait être l'œuvre de Titien ou de Lambert Sustris [détail]. 1548. Huile sur toile. 203,5 × 122 cm. Munich, Alte Pinakothek.

Les mécènes sont immortels. Ils prennent la pose devant le maître de Venise pour paraître et passer à la postérité. Et Titien vole de cour en cour, de protecteur en protecteur. Derrière son pinceau, les plus grandes figures de l'époque. Portraits de six modèles.

CHARLES QUINT
(1500-1558)

Le convoi impérial s'étire sur des centaines de mètres. Chevaux, domestiques, meubles et tapisseries somptueuses avancent dans une majestueuse lenteur autour de Charles Quint. L'empereur est en voyage... Il a reçu en héritage la couronne impériale et quatre couronnes princières : les Pays-Bas et la Franche-Comté, la Castille et ses possessions d'Amérique, l'Aragon et ses dépendances italiennes et les Etats héréditaires des Habsbourg en Allemagne. L'immensité de cet empire fait de Charles Quint l'homme politique le plus important d'Europe de 1530 jusqu'à son abdication en 1556. Mais les sujets ne sont fidèles qu'à celui qu'ils peuvent voir. Alors l'empereur se montre. *« J'ai fait de fréquents voyages : neuf en Allemagne, six en Espagne, sept en Italie, dix aux Pays-Bas, quatre en France (...), deux en Angleterre, deux en Afrique, en tout quarante. »*

Charles Quint est très absorbé par les affaires européennes : englué dans une ancestrale rivalité avec la France, il poursuit la politique espagnole de lutte contre l'Islam et met Luther au ban de l'empire en Allemagne après que celui-ci a brûlé la bulle papale. Il ne suivra que de loin la gigantesque entreprise de colonisation qui s'accomplit sous son règne en Amérique. L'éternel voyageur ne franchira, en effet, jamais l'Atlantique. C'est à Bologne, en 1530, que Titien lui est présenté. Charles Quint, enfin réconcilié avec le pape, est venu recevoir de ses mains la couronne de fer des Lombards. Titien peint alors le premier portrait du monarque. Invité par Charles Quint à la diète d'Augsbourg en 1548, le peintre travaillera énormément pour l'empereur et sa sœur Marie de Hongrie. Dans sa retraite de Yuste, Charles Quint emporte ses œuvres préférées. C'est *la Sainte Trinité* de Titien qu'il contemplera de son lit de mort.

FRANCESCO
VENIER
■
(1490-1556)

Sa santé est fragile et sa faiblesse telle qu'il lui faut le soutien de deux hommes pour se déplacer. Lorsque Francesco Venier est élu doge de Venise, le 11 juin 1554, c'est un vieillard, comme les autres doges avant lui. Le grand âge des élus est garant de pondération et d'expérience, qualités indispensables au jeu complexe des compromis.

Administrateur très compétent, Francesco Venier assume ses fonctions jusqu'à sa mort, qui survient deux ans plus tard. Titien peint son portrait, comme l'exige sa charge de peintre officiel de la République. Mais le doge lui passe de nombreuses autres commandes. Peut-être cherche-t-il à nourrir un rapport privilégié avec le peintre, comme le fit avant lui son illustre prédécesseur Andrea Gritti. C'est ainsi qu'aux tableaux votifs célébrant la mémoire d'anciens doges, s'ajoute un second portrait de Francesco Venier. C'est celui qui nous reste aujourd'hui, le tableau officiel ayant disparu dans l'incendie qui ravagea le palais des Doges en 1577.

Titien: « Portrait du doge Francesco Venier ».
Huile sur toile.
113 × 99 cm.
Lugano, collection Thyssen-Bornemisza.

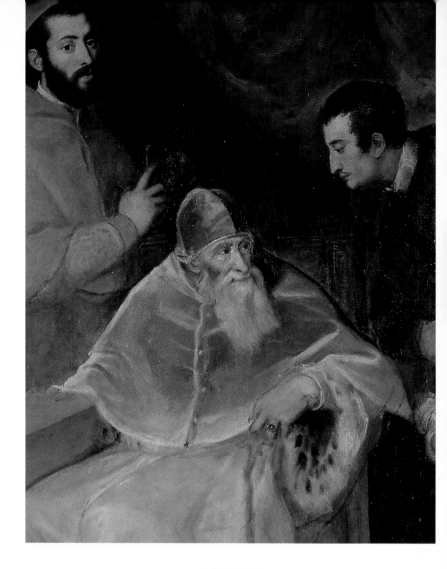

PAUL III
FARNESE
■
(1468-1549)

Alexandre Farnese est élevé à Rome puis à Florence dans les jardins de Laurent le Magnifique. Il grandit dans l'environnement le plus savant et le plus raffiné du siècle. Il y découvre les plaisirs de l'érudition élégante, de la chasse, des beaux-arts, des divertissements et... de la compagnie des femmes. Très jeune encore, il est père de deux enfants. Cette paternité ne l'empêche pas de devenir cardinal à vingt-cinq ans, puis d'être élu pape quarante années plus tard, en 1534. Il prend alors le nom de Paul III. Son népotisme ne connaîtra pas de bornes. Il va jusqu'à tailler dans les Etats de l'Eglise pour créer de toutes pièces le duché de Parme attribué à son fils. Ses quinze ans de règne n'en restent pas moins prestigieux. Titien le peindra, au déclin de sa vie, entouré de ses petits-fils qui guettent le vieillard tels des oiseaux de proie. Pape de la Contre-Réforme, il est à l'origine du concile de Trente, réorganise l'Inquisition et crée le Saint-Office. Il encourage également le développement de plusieurs ordres nouveaux et donne à la compagnie de Jésus sa première approbation. Renouvelant le collège des cardinaux, il nomme des hommes connus pour leur intégrité morale.

Le choix des artistes dont il s'entoure témoigne de l'éclat qu'il souhaite donner à son règne. Commanditaire de Michel-Ange, il lui fait exécuter plusieurs fresques de la Pauline et commande *le Jugement dernier* de la Sixtine. De sa rencontre avec Titien naîtront de somptueux tableaux qui figurent parmi les toiles maîtresses de l'artiste.

Titien: « Portrait du doge Francesco Venier ».
Huile sur toile.
113 × 99 cm.
Madrid, collection Thyssen-Bornemisza.

FRÉDÉRIC
DE GONZAGUE
—
(1500-1540)

« Si je puis vous faire le moindre plaisir, je serai toujours volontiers prêt à le faire et je me mets à votre entière disposition, avec autant de zèle que de promptitude. » C'est par ces mots surprenants d'humilité, que Frédéric de Gonzague, marquis de Mantoue et fils de la grande Isabelle d'Este, s'adresse à Titien le 8 juillet 1527. Deux mois auparavant, le peintre lui a fait parvenir en cadeau deux portraits, dont celui de l'Arétin. Frédéric ne lance pas de vaines promesses dans sa lettre. C'est lui qui présentera Titien à Charles Quint. La cour princière de Mantoue rivalise d'élégance, de bon goût et de fastes... Frédéric II, amoureux des arts, a lancé un vaste programme d'urbanisme et de construction, avec pour fleuron le fantastique palais du Té. Soucieux de s'entourer des artistes les plus renommés, il a ravi Titien à son oncle Alphonse d'Este en 1523. De très nombreuses commandes du marquis à celui qu'il appelle son *« très bon ami »* se succèdent dès lors. Cette longue série s'achèvera en 1537 avec les douze portraits d'empereurs romains, trois ans avant la mort de Frédéric.

Titien : « Portrait de Frédéric de Gonzague » [détail]. Huile sur toile. 125 × 99 cm. Madrid, musée du Prado.

PHILIPPE II
—
(1527-1598)

Les dossiers s'accumulent sur son bureau. Chaque jour, pendant plus de dix heures, il examine minutieusement plusieurs centaines de rapports. Philippe II est un bourreau de travail. Parfois, le découragement l'envahit ; il pense alors qu'il n'est pas assez solide pour porter le *« fardeau redoutable »* qui pèse sur ses épaules depuis l'abdication de Charles Quint, son père. Roi des possessions espagnoles à partir de 1556, puis du Portugal (1580), il conduit une politique extérieure ambitieuse et ruineuse. Ses folles expéditions navales et terrestres de 1588 à 1598 marquent le début du déclin espagnol. Est-ce parce qu'il porte cette lourde responsabilité que, des siècles durant, ses biographes le figeront dans un portrait repoussant, nourri de calomnies, de documents tronqués ou forgés de toute pièce ? La lecture des milliers de notes qu'il a laissées montre qu'il n'est pas ce personnage incompétent, dépravé et tyrannique qu'on a décrit. Sa vie recluse dans le palais espagnol de l'Escorial ne l'empêche pas d'être sensible aux beautés et aux curiosités du monde. Sa bibliothèque est riche de 14 000 volumes, dont certains interdits par l'Inquisition. Plus de 700 tableaux ornent ses palais. Jérôme Bosch le fascine, mais la peinture italienne le laisse indifférent. A une exception près : Titien, dont il sera le plus fidèle mécène. En retour, l'artiste lui donnera toujours la priorité sur ses autres commanditaires. Philippe II, et lui seul, aura alors le privilège de recevoir régulièrement pendant vingt ans des toiles exécutées entièrement par le maître lui-même.

Titien : « Portrait de Philippe II d'Espagne en armure » [détail]. 1551. Huile sur toile. 193 × 111 cm. Madrid, musée du Prado.

JACOPO
STRADA
—
(1515-1588)

Antiquaire, il « chine » pour les puissants. Originaire de Mantoue, Jacopo Strada incarne à la perfection « l'homme universel » de la Renaissance. Auteur d'un des premiers traités de numismatique illustré, il déborde de curiosité et de culture. Tout l'intéresse : sculptures antiques et contemporaines, tableaux, dessins, estampes, livres et manuscrits... Missionnaire de l'art italien en terre allemande, Jacopo Strada initie les princes du Nord et l'empereur aux merveilles transalpines.

Il se rend à Rome et, à trois reprises, à Venise pour le compte de Maximilien II et du beau-frère de l'empereur, le duc Albrecht V de Bavière. C'est pour le duc qu'il achète notamment la célèbre collection d'antiquités du vénitien Andrea Loredan. Il constitue les deux plus célèbres collections du nord des Alpes, celle de Munich et celle de l'empereur, à Vienne puis à Prague. Titien commence le portrait de Jacopo Strada en 1567. En échange, l'antiquaire lui offre, outre un manteau doublé de fourrure, sa précieuse entremise auprès de Maximilien. Il propose à l'empereur sept toiles de Titien dont il certifie la grande qualité.

Titien : « Portrait de Jacopo Strada » [détail]. Huile sur toile. 125 × 95 cm. Vienne, Kunsthistorisches Museum.

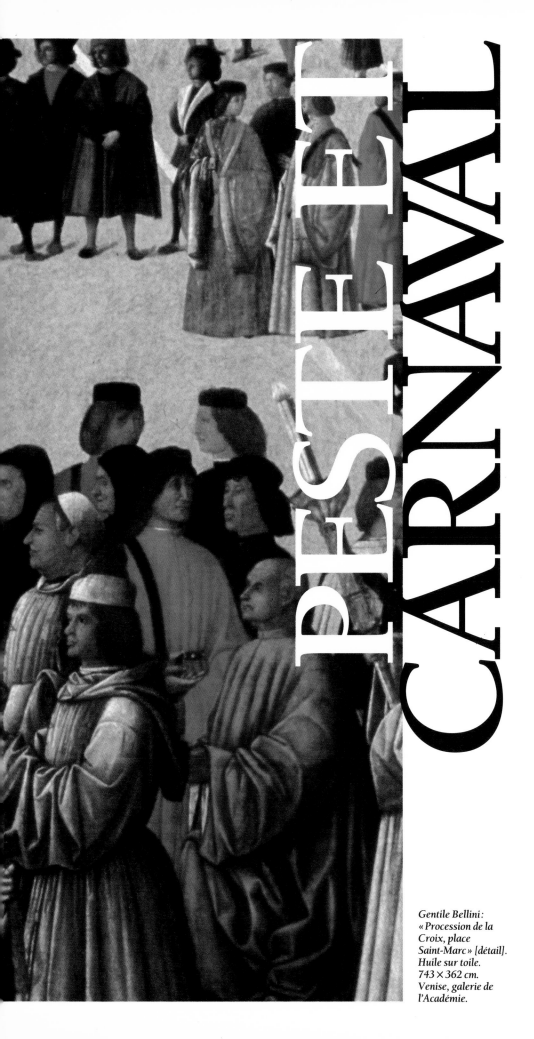

PESTE ET CARNAVAL

Gentile Bellini :
« Procession de la
Croix, place
Saint-Marc » [détail].
Huile sur toile.
743 × 362 cm.
Venise, galerie de
l'Académie.

Rien pour l'Eglise romaine
et apostolique, tout pour la dévotion.
Venise, qui a confisqué le pouvoir
du clergé, processionne à longueur
d'année avec ses saintes reliques.
Mais la piété est impuissante contre
les épidémies de peste qui déciment
la ville, emportant Giorgione
et peut-être Titien. Entre deux fléaux,
Venise parade, célèbre ses victoires,
ses doges, fait la belle devant
les étrangers médusés à la vue du
faste déployé. Et quand revient
le carnaval, la cité prend le masque,
perd la tête et le peu de vertu
qu'il lui reste. Alors les Vénitiens
communient dans une même liesse.
Mais la République s'emploie
à canaliser l'effervescence populaire
dans les rouages de ses institutions.
Garant de l'ordre social, le Conseil des
Dix multiplie au cours du siècle
les mesures répressives. Tandis que les
scuole, mutuelles corporatistes
avant la lettre, sont un véritable
régulateur de tensions. Elles
permettent aux riches de tenir leur
rang en dispensant une
assistance, et aux pauvres de se
faire entretenir sans
troubler la sérénité de la cité.

« Alors, les bras appuyés sur le bord de la fenêtre et y abandonnant le buste et presque tout le reste de mon corps, je me suis mis à regarder le merveilleux spectacle des barques innombrables, pleines de passagers d'ici et d'ailleurs, qui faisaient la joie non seulement des spectateurs, mais du Grand Canal lui-même, bonheur de ceux qui le sillonnent.

Et on eut le divertissement de deux gondoles conduites par deux fameux bateliers qui s'étaient mis à lutter de vitesse. Je pris un grand plaisir à observer la foule qui, pour voir la course, s'était massée sur le pont du Rialto, le quai des Camerlingues, à la Pescaria, au *traghetto* de Sainte-Sophie et à celui de la Casa da Mosto. Les uns et les autres, après avoir joyeusement applaudi, reprenaient leur chemin et moi, comme un homme envahi par l'ennui qui ne sait que faire de son esprit et de ses pensées, je levais les yeux au ciel. Depuis que Dieu l'a créé, il n'avait jamais été si beau grâce à un délicieux jeu pictural d'ombres et de lumières. L'atmosphère était telle que voudraient bien la rendre ceux qui vous envient faute d'être vous-même et que ma description vous donne à voir. »

L'Arétin, lettre à Titien, mai 1544.

du rire aux larmes

Plus belle, plus riche, plus puissante que ses voisins, Venise se rend grâce. La liesse se déchaîne à chaque prétexte dans une cité quadrillée par une théorie de rituels civiques et religieux. Leur pompe est ordonnée par le gouvernement qui a érigé la fête en instrument de cohésion. La dévotion, affaire publique, parade dans les rues. Une dévotion qui redouble quand Venise est en proie à la peste.

Costume de carnaval ou oiseau de mauvais augure ? Ce médecin français du XVIIIᵉ siècle utilise encore, pour se protéger de la peste, les mêmes procédés qu'à Venise deux siècles plus tôt. Gravure sur bois.

En bas, à droite : pour le plaisir général de la foule, ces femmes se livrent à une course nautique âprement disputée. Gravure de Giacomo Franco.

Quand Venise reçoit des visiteurs de marque, elle déploie un faste dont elle seule a le secret. Ambassadeur du Japon ou roi de France, tous les étrangers restent interloqués devant la magnificence des processions, les ornements de la cité, les gondoles richement décorées et la beauté des courtisanes. Les Vénitiens, eux, sont habitués à voir leur ville parée pour la fête. Car les festivités scandent la vie de la République. Qu'il s'agisse d'éblouir l'hôte de passage, de commémorer une victoire ou un traité, de célébrer avec ferveur ses saints préférés ou d'adresser des suppliques pour que passent les fléaux comme la peste, toute la ville est dehors. Le doge mène la procession où se succèdent les dignitaires, les patriciens, les membres des confréries, les ordres religieux. Le peuple regarde, suit à pied ou en bateau, pousse des vivats les jours de liesse ou se recueille silencieusement quand le cœur n'y est pas car un grave danger menace une fois de plus l'orgueilleuse cité. Tous les Vénitiens se retrouvent et communient dans leur amour pour leur ville. Car le génial pouvoir de la République a érigé les fêtes en instrument politique. Elles témoignent de l'union et

de la solidarité de tous. Le pouvoir est aux mains d'une poignée d'hommes mais chaque Vénitien a l'illusion, lors de ces grands événements, de compter autant qu'un patricien, de prier aussi fort pour le bien de la ville et pour en écarter les nombreux ennemis.

Il faut bien reconnaître que Venise a réussi à se faire détester de l'Europe entière. Le pape la voue aux gémonies car elle refuse son autorité. Les cités italiennes jalousent sa réussite économique et critiquent ses compromissions avec les Turcs. Ses changements rapides d'alliance donnent le tournis aux grands royaumes européens. Alors, la Sérénissime se considère comme une place forte assiégée. Et les Vénitiens sont viscéralement fiers de leur ville guettée par des hordes qui rêvent de

L'usage universel du masque et du costume abolit les distinctions: hommes et femmes, pauvres et patriciens..., pendant le carnaval, personne ne peut être reconnu. Dessin d'un étudiant allemand XVIᵉ siècle.

LES EXTORQUEURS

«Beaucoup de ruffians et d'individus de basse extraction, mâles et femelles, mendient en ville, les femmes se couvrant la face de leur cape et les hommes d'un sac, tous prétendant être de bons citoyens, d'excellentes familles, réduits à la mendicité. On ne sait s'ils sont Vénitiens ou étrangers, ni d'où ils viennent, au point qu'ils pourraient même provenir de régions infestées et susciter une nouvelle épidémie de peste. Ils extorquent de la sorte de l'argent à bien des gens, et sont cause qu'ainsi bien des personnes dans le besoin font les frais de cette tromperie.»
Provveditori alla Sanità, note du 23 janvier 1506.

Véronèse: «les Noces de Cana» [détail]. 1562-1563. Huile sur toile. 666 × 990 cm. Paris, musée du Louvre.

La procession du doge le dimanche des Rameaux. Cette gravure, dont l'original mesure quatre mètres, fut exécutée de 1556 à 1559 par Matteo Pagan.

s'emparer de ses richesses. Chaque occasion est bonne pour sortir dans la rue, huer les ennemis, accueillir les nouveaux amis ou afficher à la face du monde que la République est souveraine de l'Adriatique. Que Venise et la mer ne font qu'une. C'est le jour de l'Ascension qu'est célébrée la plus grande fête civile de l'année, les épousailles du doge avec la mer. Le doge, prince des Vénitiens, est revêtu de son chapeau, le *corno* ducal, de son manteau de pourpre, des chaussures rouges des empereurs byzantins. Il embarque sur le *Bucentaure*, une galère géante chamarrée d'or et de pourpre, propulsé par cent soixante-huit rameurs, qui l'emporte avec sa suite à deux milles au large, tandis que tonnent les canons des forts et de la flotte et que retentissent à toute volée les cloches

de la ville. Les gondoles des nobles et des marchands et les barques des pêcheurs l'escortent. Après la passe du Lido, le navire s'immobilise, le doge lance alors l'anneau d'or tendu par le patriarche de Venise et crie en latin : «*Desponsamus te, mare, in signum veri perpetuique dominii.*» (Nous t'épousons, Ô mer, en signe de domination effective et perpétuelle).

Si les spectateurs sont subjugués par la beauté de cette cérémonie, certains détracteurs étrangers s'en donnent à cœur joie pour tourner en dérision la République. Après la victoire de Lépante, Venise se trouve malgré tout dépossédée par les Turcs de la plupart de ses colonies. Le poète français Du Bellay saisit l'occasion pour composer un sonnet assassin dans ses *Regrets* :

«*Il fait bon voir, Magny, ces coïons magnifiques,*
Leur superbe arsenal, leurs vaisseaux, leur abord,
Leur Saint-Marc, leur Palais, leur Réalte, leur port,
Leurs changes, leurs profits, leurs banques et leurs trafiques,
Mais ce que l'on en doit le meilleur estimer,
C'est quand ces vieux cocus vont épouser la mer,
Dont ils sont les maris et le Turc l'adultère.»

Mais le pire ennemi ne peut être amadoué par des concessions territoriales à l'instar des Turcs : c'est la peste. Bien sûr, la proximité avec la mort est quotidienne, on ne compte pas les femmes qui meurent en couches. Titien perdra ainsi sa compagne puis sa fille. Quant aux nouveau-nés, ils sont souvent plus nombreux morts que vivants. Et si la

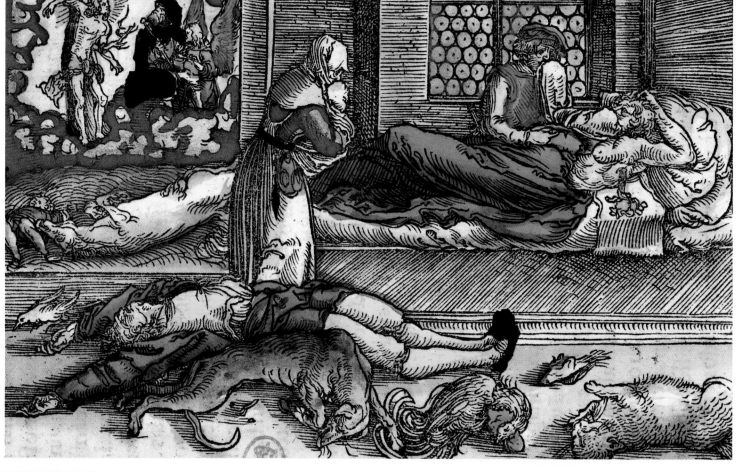

Depuis la peste noire de 1348, qui décima les deux tiers de l'Europe, le continent est régulièrement frappé par ce fléau. Xylographie, 1530.

lèpre a pratiquement disparu après avoir accompli ses ravages, la syphilis, le « mal français », arrive avec les armées du roi de France pour se disséminer dans toute l'Italie. Mais la peste reste le plus terrible des fléaux envoyés par Dieu pour punir l'homme de ses péchés.

Elle envahit Venise par vagues régulières tout au long du siècle. Giorgione est emporté en 1510 et Titien décède pendant la terrible épidémie de 1575-1576 qui laissera la ville exsangue : on parle de 50 000 victimes sur une population estimée à 175 000 habitants. Le pouvoir vénitien, qui contrôle chaque aspect de la vie quotidienne, a créé la magistrature des *provveditori alla Sanità*. Chargée de la lutte contre les épidémies, elle tente d'éviter le pire. Pour combattre la propagation, les lettres et la monnaie sont aspergées de vinaigre, des feux purificateurs sont allumés aux carrefours ; hommes, hardes et maisons sont désinfectés avec des parfums violents et du soufre. La confrérie de Saint-Roch brûle de l'encens dans les rues. On sort avec un masque en forme de tête d'oiseau dont le bec est rempli de substances odoriférantes. Par autorisation spéciale, les boutiques de barbiers, auxiliaires des médecins, restent ouvertes toute la nuit. Enveloppés dans les plis d'une longue robe, une éponge dans la bouche pour se protéger des miasmes, les médecins volent au secours des malades et leur administrent des remèdes concoctés, selon leurs dires, avec du crapaud ou de la corne de licorne. Ils incisent les bubons et les couvrent d'emplâtres ou de pigeons séchés. Mais rien n'arrête la contagion. Les victimes, prises d'une forte fièvre, étouffent et meurent dans des douleurs insoutenables à l'aine et aux aisselles. Devant ce malheur, il ne reste que la piété. Le sénat fait serment d'ériger une église si le fléau quitte Venise. C'est ainsi que fut construite par Palladio l'église du Rédempteur sur l'île de la Giudecca. Chaque troisième dimanche de juillet, une procession s'y rend en marchant sur un pont composé de bateaux. Les reliques de saint Roch sont à l'honneur, lui qui avait miraculeusement guéri de la peste. Car Venise, fervente dans l'expression de ses croyances, vénère les reliques en sa possession. Elle s'enorgueillit de posséder celles de saint Etienne, de saint Daniel, de saint Théo-

la peste envoyée par Dieu pour punir l'homme de ses péchés

dore, de saint Nicolas et surtout celles de saint Marc, le patron de la ville.

Mais les hommes ne sont pas les seules victimes des fléaux. Une autre peste s'attaque aux merveilles de la ville et détruit sa mémoire : en 1571 et 1577, deux incendies ravagent le palais ducal. Partiront en flammes des œuvres de Gentile et Giovanni Bellini, Vivarini, Carpaccio, Véronèse, Tintoret et Titien. Les ouvriers de l'Arsenal, responsables de la lutte contre les incendies, resteront im-puissants face à l'ampleur du désastre. Dès que la danse macabre de la peste s'est éloignée, la fête peut reprendre. A condition bien sûr qu'elle soit ordonnée par le pouvoir. Car le Conseil des Dix veille. Les dirigeants de Venise déploient leurs efforts pour circonscrire tous débordements lors des festivités et proscrire ainsi les divertissements qu'ils ne contrôlent pas. Les jeux sont ainsi bannis de la place Saint-Marc. En 1520, une danse considérée comme indécente, le *tripudio*, est interdite. En 1581, nouveau coup d'arrêt à la liberté dans les rues : le Conseil des Dix légifère contre les comédies qui reviendront bien vite. De même, les lois somptuaires tentent de réfréner les excès du luxe et suspendent le port de bijoux précieux. Sont proscrites également les décorations excessives des gondoles. Signe de l'impopularité de ces mesures, des sanctions sont prises pour réprimer ceux qui jettent oranges et autres objets contre les malheureux magistrats chargés de faire respecter la loi : les *provveditori alla Pompa*. Mais dès qu'un visiteur de marque est attendu, ces mesures sont suspendues et Venise peut parader, tous bijoux dehors. De même, les lois

FRAUDES À LA SCUOLA

« Nombre de nouveaux membres ont été admis dans notre confrérie sur la foi de leur réputation de marchands et d'hommes de négoce, aptes à concourir à la prospérité de la *scuola*. Mais à peine admis, nous les voyons saisir la première opportunité et venir, avec les autres pauvres, récolter les aumônes et s'ils sont malades, se faire soigner par nos médecins et nos potions : toutes ces fraudes ont porté tort à notre *scuola*. »
Résolution de la Scuola di San Rocco, février 1591.

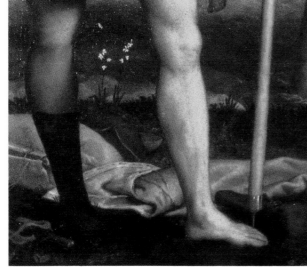

Saint Roch, détail du « Saint Christophe, saint Roch et saint Sébastien » de Lotto. Panneau. 275 × 232 cm. Loreto, Palais apostolique.

LE SOUFFLE DE LA MALIGNITÉ

« Certains jours, le clergé de la ville ne peut suffire aux funérailles, même à celles des nobles. On meurt frappé par une certaine malignité d'humeurs qui sont cachées et inconnues aux physiciens, de sorte que beaucoup sont morts alors qu'ils étaient en train de dire qu'ils ne se sentaient pas malades du tout, d'autres souffrant d'un simple mal de tête.

On en a vu qui, atteints des deux sortes de bubons, guérirent [...]. Je ne crois pas qu'il y ait dans l'air quelque contagion de peste, mais qu'une maladie frappe l'âme des hommes, qui vient de la compassion éprouvée pour les souffrances des pauvres, qui porte des humeurs nocives dans le corps. »
Luigi Da Porto, « Lettres historiques », mars 1528.

Aucun n'a de véritable fièvre, mais une certaine malignité touchant leur cœur atteint l'âme et l'esprit vital en un seul souffle de sorte qu'on ne peut rien tenter... des bubons ont été trouvés sur certains mais pas sur d'autres, blanchâtres et de la taille de petites monnaies sur les uns, sur d'autres ronds comme des pois, rouges et en relief, comme il apparaît aux enfants lorsqu'ils sont malades.

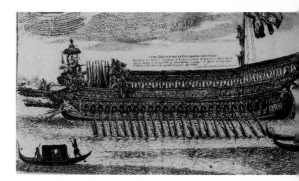

Le Bucentaure, galère somptueusement décorée, était utilisé notamment le jour de la Sensa, pour les épousailles du doge avec la mer. Gravure vénitienne.

---

contre les paris sont contournées grâce à l'aide de l'Eglise qui donne le droit d'asile aux parieurs en arguant de l'inviolabilité des monastères et couvents. Car les jeux d'argent font partie de l'ordinaire de la ville marchande. On joue partout, chez les barbiers, auprès des revendeurs d'eau-de-vie, dans les auberges, les boutiques de farces et attrapes, les maisons de prostituées et de courtisanes. Toutes ces lois répressives n'arrivent pas à faire plier les festifs. Les membres des compagnies della Calza, fils de patriciens qui portent sous leurs bérets noirs ou rouges une longue chevelure nouée par un ruban de soie, dépensent leur énergie et leurs revenus à organiser régates, tournois, festivités et font jouer des comédies à leurs frais.

De leur côté, les quartiers populaires se consacrent à leurs propres réjouissances, comme la « guerre des poings » où deux groupes, les Nicolotti et les Castellani, s'entrechoquent sur un pont sans parapet. But du jeu : envoyer son adversaire par-dessus bord. Ils célèbrent aussi les saints de leur paroisse dans des kermesses de quartier où, après la dévotion dans l'église illuminée et richement décorée, se déroulent des bals, des numéros de saltimbanques et de marionnettes. Mais tous se retrouvent pour la course au taureau ou pour admirer les régates, les tournois et les fantastiques pyramides humaines échafaudées sur les places et même sur les ponts. Paroxysme de ces fêtes, le carnaval, où la liberté ne connaît plus de li-

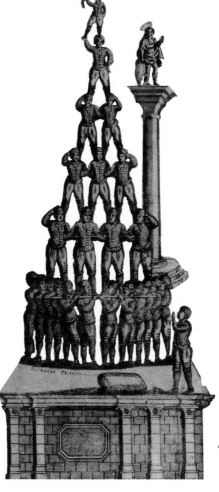

mites. On mange et on boit de façon gargantuesque, on insulte son voisin dissimulé sous son masque, on lui lance divers aliments à la figure. Le peuple en profite pour entonner des chansons aux sous-entendus sexuels ou politiques et se moquer ouvertement des autorités, certains esprits audacieux allant même jusqu'à caricaturer les doges et les flagellants. Se profile peu à peu une séparation plus nette entre les jeux de l'élite et les jeux populaires. Même pour le carnaval, la noblesse commence à organiser ses fêtes privées et à se mêler de moins en moins au commun. La communauté vénitienne soudée comme un seul homme commence à tenir plus du mythe que de la réalité. Mais la fête lui survivra, de plus en plus folle, comme ultime souvenir d'une grandeur dépassée. ∎

Au milieu d'un décor architectural spécialement édifié pour le Jeudi gras, les meilleurs acrobates de Venise rivalisent dans leurs « travaux d'Hercule », véritables pyramides humaines. Détail d'une gravure anonyme.

*Giorgione : « le
Chanteur passionné ».
Huile sur toile.
102 × 78 cm. Rome,
galerie Borghese.*

Giorgione: « le Chanteur à la flûte ». Huile sur toile. 102 × 78 cm. Rome, galerie Borghese.

JOURS DE FÊTES

Pas une semaine
ne passe sur
la lagune sans fêtes
ou processions,
où le cœur de la ville
bat à l'unisson.
L'élection
et les funérailles du
doge sont des
moments
exceptionnels qui
marquent
l'esprit et
l'imaginaire des
Vénitiens et
des premiers
touristes.
Voici quelques temps
forts choisis
dans le calendrier
festif de la cité.

Le carnaval, dont l'origine remonte au Xᵉ siècle et qui finira par s'étendre parfois sur six mois, va marquer la vie vénitienne jusqu'au XIXᵉ siècle. Gravure française du XVIᵉ siècle.

2 février, le retour des jeunes mariées

Les douze plus jolies filles de la ville, parées de leurs plus beaux atours, sont bénies par l'évêque d'Olivolo. Puis, emmenées par la foule en liesse, elles rejoignent le doge à Santa Maria Formosa. Vénise célèbre sa victoire sur les pirates triestins qui avaient enlevé des jeunes mariées sur le parvis de l'église d'Olivolo. Les Vénitiens font ensuite la fête sur l'eau pour commémorer le retour de leurs femmes.

dimanche des Rameaux

Huit bannières ornées du Lion de saint Marc, trompes et buccins d'argent, ouvrent le cortège de la procession. De sa loggia, le doge fait tomber une pluie de fruits et lâche des colombes.

Vendredi saint

A la nuit tombée, la procession chemine autour de la basilique illuminée de cierges. Les fidèles, en habits de deuil, défilent à pas lents autour de la place Saint-Marc. Ils attendent la sortie du cercueil, tendu de crêpe noir et ouvert. A l'intérieur, le saint sacrement.

16 avril, la traîtrise du doge

Venise broie du noir : les symboles des doges et la musique sont exclus de l'austère procession, les membres des *scuole* portent des chandelles tenues vers le bas. A la Saint-Isidore, on rappelle le souvenir du doge maudit, celui dont le portrait est remplacé par un drap noir dans la salle du Grand Conseil du palais ducal. En 1355, Marino Faliero avait conspiré avec des artisans contre la République et eut la tête tranchée. Avis à tous les Vénitiens, les comploteurs contre la République terminent comme le doge Faliero.

Dans la salle du Grand Conseil où figure le portrait de tous les doges, un drap noir remplace celui du félon.

« Masque de Pulcinella ». Gravure de Bertelli.

25 avril, le patron de Venise

La cité honore son saint par une procession nocturne majestueuse. Le doge allume une chandelle blanche pour marquer le lien spirituel entre saint Marc et la cité.

jour de l'Ascension

Venise communie avec l'Adriatique durant la fête la plus fastueuse de l'année, les épousailles du doge avec la mer. Cette fête commémore le triomphe du doge Pietro Orseolo en l'an 1000. Celui-ci commanda la flotte le jour de l'Ascension pour répondre aux appels des cités de la côte dalmate menacées par les

premier dimanche d'octobre, Venise perd la tête

C'est le début du carnaval qui dure jusqu'au carême avec une interruption du 15 décembre à l'Epiphanie. Hommes, femmes, enfants, prêtres, se pressent dehors, masque en tête, ceints d'une cape noire, le *tabarro*, ou d'un voile en soie noire, la *bautta*. Même les domestiques font leur marché le visage couvert d'un loup. Le travesti règne en maître : impossible de distinguer les sexes ou la condition sociale. Les baladins prennent possession des rues et des places. Quant à la fameuse licence vénitienne, elle bat son plein la nuit comme le jour.

7 octobre, tête de Turc

Les Vénitiens honorent sainte Justine et surtout la victoire de Lépante sur les Turcs, qui est devenue fête permanente depuis 1571.

8 octobre, les reliques

C'est le jour de gloire rappelant la consécration de la basilique qui accueillit les reliques de saint Marc apportées d'Alexandrie au IXe siècle.

Slaves. Il les battit à plate couture et revint en portant le titre de « duc des Vénitiens et des Dalmates ». C'est le moment de la grande foire commerciale de la place Saint-Marc, qui dure quinze jours et attire nombre de visiteurs.

Jeudi gras

Sur la place Saint-Marc, déboulent les taureaux. Un boucher, tiré au sort, a ensuite l'honneur de trancher la tête de douze porcs. Venise se gausse et rappelle par cette mascarade le souvenir du patriarche d'Aquilée et de ses douze chanoines. Emprisonné au XIIe siècle, l'homme d'Eglise dut payer un tribut annuel de douze pains, douze porcs et un taureau pour recouvrer sa liberté. Au milieu du XVIe siècle, les porcs disparaîtront, car le doge les trouve peu compatibles avec la grandeur de la ville.

troisième dimanche de juillet, plus jamais ça !

Venise se souvient des ravages de la peste. Elle célèbre la fin de l'épidémie de 1577. Une procession se rend à l'église du Rédempteur de la Giudecca sur un pont composé de bateaux. Des dizaines de milliers de soles frites sont dévorées par les pèlerins dans les jardins de la Giudecca.

premier dimanche de septembre, sur l'eau

C'est la journée des régates : les plus belles courses d'aviron de l'année opposent les jeunes gens de la ville.

en automne, par-dessus bord

La guerre des poings reprend, à la grande joie de la foule. Plaies et bosses garanties dans ces combats où les habitants de deux quartiers s'affrontent sur les ponts sans parapet.

Noël

Le gouvernement au grand complet s'embarque dans la nuit pour vénérer les reliques de saint Etienne. Ils sont suivis par des milliers de barques illuminées où s'entassent les gens du peuple.

Marchand crémonais célèbre pour sa très grande charité, saint Omobono est immortalisé ici par Bonifacio de Pitati pour orner le siège de la confrérie des tailleurs. « La Madone des tailleurs » [détail]. Huile sur toile. 103 × 149 cm. Venise, galerie de l'Académie.

Hors des scuole, point de salut pour les citoyens vénitiens. Elles les accompagnent à la vie comme à la mort. Car les confréries s'occupent de tout, de l'assistance mutuelle, de la dévotion, et des enterrements. Elles donnent aux non-patriciens l'occasion de jouer un rôle dans une cité qui les exclut du commandement.

Charité bien ordonnée

Bien qu'il fasse faillite vers 1550 car ses bateaux ont malencontreusement coulé, le riche marchand Sebastiano Bonaldi peut marier sa fille la tête haute. La Scuola di San Marco, dont il est membre, lui a remis les quarante ducats nécessaires pour constituer la dot. A Venise, les *scuole,* ou confréries, s'occupent de tout, hormis du pouvoir politique. Elles organisent la dévotion, assistent les pauvres et embellissent le patrimoine artistique de la cité en se lan-

çant dans une course effrénée pour faire décorer leurs sièges par les peintres les plus réputés. Les six *scuole grandi,* Santa Maria della Carità, San Giovanni Evangelista, Santa Maria Valverd della Misericordia, San Marco et San Rocco, puis, en 1552, la *piccola* San Teodoro, élevée au rang de « *grande* » par la grâce du Conseil des Dix, se concurrencent pour les ornements les plus prestigieux, les œuvres d'art les plus magnifiques. Elles s'épient pour posséder une splendeur d'avance et sélectionnent les meilleurs architectes et peintres.
Titien, avec son atelier, orne le plafond de San Giovanni Evangelista pour laquelle Gentile Bellini a composé un cycle de peinture. C'est à la Scuola di San Marco que ce dernier travaille les trois dernières années de sa vie en peignant *la Prédication de saint Marc à Alexandrie,* terminée après sa mort par son frère Giovanni. Tintoret y réalisa *le Miracle de l'esclave* pour ensuite se consacrer à San Rocco pendant vingt ans. Etre choisi par une *scuola grande* consacre la réussite d'un artiste. A tel point que certains proposent d'y travailler gratuitement, demandant simplement le remboursement des couleurs. Si les *scuole grandi* s'affichent de manière aussi fastueuse, c'est bien sûr pour honorer de manière grandiose leur saint patron et exprimer ainsi publiquement leur piété. C'est aussi pour jouer un rôle dans la vie de la Sérénissime. Car les *scuole* participent à la stabilité de la République. Elles donnent une véritable citoyenneté aux non-patriciens, qui sont exclus du commandement de la ville, quelles que soient leurs richesses. Ils se rendent alors indispensables dans l'organisation de la dévotion, de l'assistance et de la charité. Ainsi les riches commerçants de produits de luxe de San Rocco ou les orfèvres de San Marco peuvent tenir leur rang dans la cité. Ils occupent une place de choix dans les processions, cheminant en portant leurs saintes reliques, alignant

Conçue comme un petit retable, cette image de saint Roch entouré de scènes évoquant ses miracles, était en fait une feuille de propagande destinée à être reproduite et vendue afin de financer la construction de la Scuola di San Rocco. Titien : « Saint Roch et l'Histoire de sa vie ». Xylographie. 56,4 × 40,4 cm. Paris, Bibliothèque nationale.

guerre. D'autres regroupent des étrangers comme les Albanais, les Grecs, les Allemands, et le terme de *scuole* fut même employé jusqu'au XVIIe siècle pour les fraternités de juifs.

Venise, qui s'en voudrait d'agir comme le reste de l'Europe, ne confie pas sa charité à l'Eglise. De plus, se méfiant du clergé comme de la peste, le soupçonnant d'allégeance au pape, elle limite le nombre d'ecclésiastiques dans les *scuole* et leur interdit d'accéder à des fonctions de responsabilités. Ce sont les laïques, et spécifiquement les riches, qui dirigent et cotisent. Ils gagnent ainsi un substitut de pouvoir politique et une bonne conscience. Les pauvres obéissent et bénéficient des aides. Ce sont eux qui se flagellent dans les processions, car les riches n'ont plus envie de se faire tanner le cuir. Evidemment, pour aider les membres à bon escient, il est indispensable de se tenir au courant de leur vie. Un « enquêteur » est chargé d'une tournée pour repérer les malades, les affamés ou les mourants. Au passage, il en profite pour recueillir des renseignements sur la moralité des filles à doter. Avec le nombre astronomique de faillites qui se succèdent, les riches se retrouvent souvent pauvres du jour au

lendemain. En adhérant à une confrérie, ils prennent une assurance contre le malheur. Pour subsister, ils sont aidés. Et si leurs déboires financiers les emportent vers la tombe, les frères de la *scuola* les accompagnent dans leur dernier voyage et soutiennent veuves et enfants. Car la plupart des *scuole* réservent la majorité de leurs dons à leurs membres dans le besoin. Au siècle précédent, le Conseil des Dix avait même interdit la charité extérieure excepté les distributions aux hôpitaux, prisons et couvents, pour ne pas encourager la mendicité professionnelle.

Le gouvernement lutte avec vigueur contre les mendiants, estimant que leur haleine empoisonne l'atmosphère et risque de propager des maladies. Ils sont d'ailleurs fort peu nombreux à être recensés à Venise ; on en dénombre 445 en 1586. Dans les années 1550, San Rocco, la plus riche des *scuole* réserve deux tiers des dons à ses membres. En revanche, la Scuola della Misericordia distribue beaucoup à l'extérieur. Mais pendant les famines, comme en 1569-1570, elles contribuent toutes à nourrir les malheureux, qui pour la plupart affluent des environs de Venise. Cette année-là, le Conseil des Dix demande aux *scuole* de distribuer le maximum aux pauvres en piochant dans les réserves destinées aux dots. En cas d'urgence civique, les confréries sont également mises à contribution : elles sont sommées de fournir des recrues pour les galères. En 1545, sur 10 000 marins, 2 000 proviennent des *scuole* qui, de plus, entretiennent leurs familles pendant leur absence. En cas de décès, elles offrent des maisons à leurs fils. Institutions indispensables à la stabilité de la Sérénissime, les *scuole* assurent la paix sociale. A Venise, même la pauvreté est canalisée. ■

leur lot de flagellants et composant de fantastiques tableaux vivants inspirés des Saintes Ecritures. Mais tant de prospérité étalée ne laisse pas indifférent le pouvoir vénitien qui pioche dans les revenus des *scuole*. En 1587, les confréries protestent officiellement car leur imposition s'accroît. Elles rappellent au Conseil des Dix les services rendus aux Vénitiens. Et font valoir qu'à les pressurer ainsi, leurs dons aux pauvres s'en ressentent. Du côté du peuple, on murmure aussi que les *scuole grandi* se vautrent dans le luxe, reniant leur origine plus qu'austère, les compagnies de flagellants du XIIIe siècle.

A côté des six grandes confréries qui accueillent près de 5 500 membres, existe une multitude de *scuole piccole* ou mineures. Elles sont cent vingt à défiler, étendards au vent, pour l'enterrement du doge Leonardo Loredan en 1521. L'immense majorité est l'émanation de

corporations, les associations professionnelles d'artisans ou *Arti*. Liées à une église ou à un monastère, ces *Arti* se placent sous la protection d'un saint. A l'image des *grandi*, elles mènent une véritable politique d'assistance mutuelle : elles aident les pauvres, les malades, et organisent les enterrements. Mais elles veillent aussi aux règlements de la profession et arbitrent les conflits du travail, sous la haute autorité du *gastaldo*, le chef de la confrérie. Car sans immatriculation à une corporation, pas de permission de travailler. Cependant, un petit nombre de *scuole* sont indépendantes des groupements professionnels. Certaines sont consacrées à des rituels spécifiques, comme l'eucharistie, ou bien se dévouent à une forme particulière de charité. Comme la Scuola di San Fantin, qui accompagne les prisonniers à leur exécution, ou la Scuola dei Zotti qui s'occupe des mutilés et invalides de

Garantes de la stabilité sociale, les scuole sont d'une importance majeure pour le pouvoir vénitien. Anonyme. « Le Doge Priuli et le Gastaldo des cordonniers » [détail]. Huile sur toile. 181 × 167 cm. Venise, musée Correr.

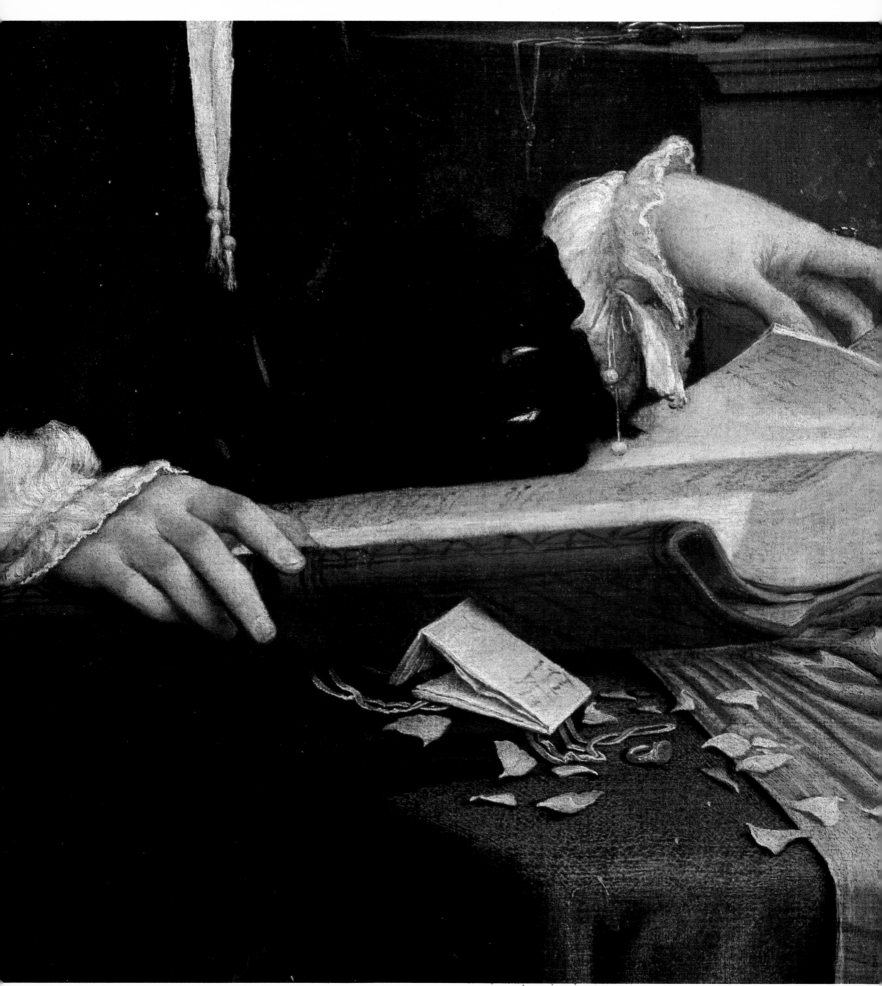

Lotto: « Portrait de gentilhomme », [détail]. Huile sur toile. 98 × 111 cm. Venise, galerie de l'Académie.

IDÉAL

RENAISSANCE

La redécouverte frénétique
des auteurs grecs et latins oubliés
depuis des siècles favorise
l'émergence de la « république des
lettres ». Une communauté
d'intellectuels européens épris
d'idéaux généreux, confiants en
l'avenir de l'homme, dont l'humanisme
va rapidement imprégner
les sciences, les arts, l'architecture…
et Venise. Une soif
de connaissance qui entraîne
la vogue des sciences du secret.
Multipliant les marques
d'indépendance dans un siècle raidi
par la fracture religieuse,
l'opulente cité marchande s'est trouvé
un idéal : elle sera la capitale
humaniste. Grâce à l'imprimerie,
dont la Sérénissime devient
rapidement le premier centre européen,
c'est encore son esprit d'entreprise
qui va lui permettre de jouer un rôle
décisif dans la diffusion des idées
et le renouveau des auteurs classiques.
Le prestige d'Alde Manuce,
le plus grand imprimeur de son temps,
rayonne alors bien au-delà
de la lagune et attire nombre de lettrés
qui trouvent dans ses ateliers
et son « académie », une liberté de
pensée menacée ailleurs par
une Eglise de plus en plus sourcilleuse…

HONTE SANS LE GREC

« Maintenant toutes disciplines sont restituées, les langues instaurées : grecque, sans laquelle c'est honte que une personne se die sçavant, hebraïcque, caldaïcque, latine [...]. Tout le monde est plein de gens savans, de précepteurs très doctes, de librairies très amples, qu'il m'est advis que, ny au temps de Platon, ny de Cicéron, n'estoit telle commodité d'estude qu'on y veoit maintenant. »
Rabelais,
« Pantagruel », 1532.

Psaultier imprimé en grec par Alde Manuce en 1497. L'humanisme se caractérise par un retour aux textes antiques originaux.

LA PHILOSOPHIE, UNE PERFIDIE PAIENNE

« Ces porcs, ces sales cochons, ont l'habitude, quand quelque chose ne leur plaît pas, ou qu'ils ne le comprennent pas, de grommeler à droite et à gauche les mots d'hérésie, de scandales, de difficultés, de superstitions, de maléfices, en condamnant comme perfidie païenne toute la philosophie, exception faite pour leur pestilentiel Aristote. »
Agrippa, lettre, 1535.

L'humanisme se nourrit d'échanges et de rencontres ; ici Erasme partage sa table de travail avec Gilbert Cognati Nozerini. Gravure sur bois, 1553.

h venise humaniste

Fière de ses institutions républicaines, de l'élégance de ses palais, de sa légendaire tolérance, Venise, emportée par la vague humaniste, cultive l'amour des arts, des lettres, de la liberté. Mai. tradition marchande oblige, elle ne peut s'empêch d'adapter ses idéaux à des fins pragmatiques.

Avec les « Prose della Volgar Lingua », publiées en 1525, le cardinal Bembo, homme de lettres de renom, défend l'usage de l'italien vulgaire dans la littérature. Anonyme. Pavie, galerie Malaspina.

Le XVIᵉ siècle
est celui des grandes
découvertes
astronomiques qui
vont bouleverser
l'harmonie
céleste imaginée
par Ptolémée
plus de mille ans
auparavant.
Gravure extraite
de l'« Atlas céleste
Cellarius », 1708.

L'AVIDITÉ DE L'ANTIQUITÉ

« Nous voyons qu'aujourd'hui tous les esprits, même les plus grands savants dans tous les arts libéraux et mécaniques, recherchent les choses de l'Antiquité, et avec une grande avidité, comme si l'on pouvait espérer qu'un cycle tout entier allait se terminer bientôt. »
Nicolas de Cues, 1433.

Carpaccio :
« la Vision de saint
Augustin », [détail].
Huile sur toile.
141 × 211 cm. Venise,
Scuolà di San Giorgio
degli Schiavoni.

A l'aube d'un XVIᵉ siècle en quête de perfection, Venise la Sérénissime se rêve volontiers en cité idéale, en utopie accomplie. Son régime républicain, forcément héritier des glorieux modèles antiques, est à ses yeux un modèle d'organisation humaine. Libéré du joug des princes et des prélats, il est source d'harmonie, de paix, de liberté. Oubliant le carriérisme d'une oligarchie patricienne accrochée à ses privilèges, Venise la cosmopolite épouse l'idéal humaniste. Pendant ce temps, l'Europe s'étripe, la chrétienté se déchire, les nations émergent et avec elles les parlers nationaux s'élèvent au rang de langues littéraires. L'unité culturelle et religieuse maintenue bon an mal an pendant le Moyen Age s'effrite. Pourtant les élites lettrées résistent à l'éclatement. Cultivant et rénovant le latin, langue de culture qui se moque des frontières, se

plongeant frénétiquement dans la redécouverte des auteurs antiques oubliés pendant des siècles, la « république des lettres » forme une sorte d'Etat rêvé de la sagesse et du savoir universels, au-dessus de tous les Etats. Un réseau d'intellectuels qui échangent, s'écrivent, se rencontrent, voyagent d'une université à l'autre. « *Je voudrais être citoyen du monde, compatriote de tous ou plutôt étranger à tous. Puissé-je enfin devenir citoyen de la cité du ciel !* » écrit le Prince des humanistes, Erasme de Rotterdam, qui jouit alors d'une célébrité sans égale pour un écrivain. Tous les cercles, toutes les cours invitent ce voyageur infatigable pour entendre sa conversation.

Car dans sa redécouverte des auteurs antiques, la Renaissance a replacé la rhétorique, le « beau discours », au premier rang des vertus savantes. La conversation, est redevenue un art.

Nombre de livres de l'époque – tels les *Asolani* du Vénitien Pietro Bembo – apparaissent sur le modèle grec comme de longs dialogues tenus lors de banquets ou de promenades dans des jardins idylliques. Fleurissent aussi cercles savants et académies, ces lieux « démocratiques » où l'on brille plus par l'éclat de sa parole que par sa naissance ou sa fonction. Pour les jeunes patriciens qui, à Venise, contrairement au reste de l'Europe, seront amenés à pratiquer les affaires publiques, ils sont l'occasion d'exercer la parole, en se grisant d'idées, de mots, d'idéaux… S'il est inutile de chercher une philosophie commune aux architectes, peintres, juristes, éditeurs, littérateurs, grammairiens, médecins, rhétoriciens… tous qualifiés d'« humanistes », on y décèlera cependant la volonté de

Recueil de
madrigaux imprimé
par le Vénitien
Petrucci, inventeur
de l'imprimerie
musicale.
Venise, 1589.

Titien:
« Jeune Homme
jouant de
la viole de gambe
et Femme
dans un paysage ».
Plume et encre
sur papier,
22,4 × 22,6 cm.
Londres,
British Museum.

L'IMPUNITÉ DES TYPOGRAPHES

« Jadis on apportait autant de soin à l'exactitude des manuscrits qu'à la rédaction des actes notariés ; ce soin, on peut le dire, était un devoir sacré ; plus tard, il fut confié à des moines ignorants, puis à des femmes : mais combien plus grand est le mal que peut causer un typographe ! Les lois se taisent à ce sujet : on punit celui qui vend du drap teint en Angleterre au lieu d'un drap teint à Venise, mais celui qui, au lieu de bons textes, vend de vraies croix et de vrais supplices au lecteur, il reste impuni. De là l'innombrable quantité de livres défigurés, surtout en Allemagne. Tandis qu'il y a des interdictions pour la boulangerie, il n'y en a aucune pour la typographie, et cependant quel est le coin de terre où ne s'envolent pas comme des essaims les feuilles imprimées ? »
*Erasme, « les Adages »,
1508.*

L'ANCRE ET LE DAUPHIN

« Marque bien autrement glorieuse sur les livres sortis de ses presses pour circuler parmi les amis des lettres et des sciences jusqu'aux confins de l'univers que ne l'est celle des monnaies impériales destinées à circuler comme objets de commerce aux mains des marchands. »
*Erasme, « les Adages »,
II, 1, 1508.*

Marque
typographique
d'Alde Manuce ;
le plus fameux des
imprimeurs
vénitiens est aussi
un intellectuel
pétri de
culture classique.

tendre à un idéal humain : « *J'ai lu dans les livres des Arabes, qu'on ne peut rien voir de plus admirable dans le monde que l'homme* », écrit en 1486 Pic de la Mirandole (*De dignitate hominis*). Les humanistes exaltent la dignité humaine, le langage comme signe de cette dignité et les auteurs anciens comme la plus haute expression du langage. C'est donc du passé que doit surgir un homme nouveau, libéré de la « barbarie » médiévale. Redécouvrant les origines, *via* les sources gréco-latines, la Renaissance affiche en effet un souverain mépris du Moyen Age. Les humanistes louaient le génie de Pétrarque qui, dès le XIVe siècle, s'attela à rénover les lettres latines, inaugurant « *la guerre déclarée aux barbares* », « *rappelant les muses enfouies* » par des siècles de pratique scolastique qui avaient déformé et enlaidi un latin devenu à peine compréhensible. Dans les arts, le jugement était aussi sévère. Dürer estimait que la pein-

ture avait été « perdue » pendant les mille ans suivant la chute de Rome et que les Italiens lui avaient redonné vie depuis deux siècles. Au-delà des lettres, l'humanisme est aussi un univers de beauté qui cultive l'amour des arts, des palais élégants, des jardins harmonieux. Cette pensée imprègne bien sûr la peinture. Dans les œuvres profanes, dieux et déesses antiques se multiplient. Fervent lecteur d'Ovide, Titien s'inspire directement des thèmes mythologiques issus de ses *Métamorphoses* : Bacchus et Ariane, Danaé, Vénus et Adonis…
L'architecture n'échappe pas à la vogue antique. Partout l'on fouille fébrilement à la recherche des vestiges – la moindre colonne exhumée fait figure de révélation. Apparue au Moyen Age, sans passé classique à glorifier, Venise multiplie les acquisitions d'antiquités pour combler cette carence : statues, bronzes, chapiteaux arrivent d'Italie et de Grèce

par bateaux pour décorer jardins et palais. Mais ce manque amène aussi la Sérénissime à respecter sa récente histoire : on y assiste moins qu'ailleurs à la destruction d'édifices médiévaux. Partiellement dévasté par le feu, le palais des Doges sera ainsi reconstruit à l'identique, dans son style gothique d'origine. A partir de 1509, date de la terrible défaite d'Agnadello qui ruine ses ambitions d'expansion terrestre, la République de Venise se recentre sur elle-même et cultive amoureusement ses différences avec les autres capitales. Elle devient la ville de la tolérance et du divertissement dans une Europe raidie par le conflit religieux. Déjà terre d'asile pour les lettrés byzantins depuis la chute de l'Empire d'Orient, Venise accueille aussi les intellectuels en mal de liberté de pensée. L'Arétin, l'ami de Titien à la plume si leste pour l'époque, apprend ici à « *être libre* ».
Soucieuse de s'ouvrir des horizons moins bassement mercantiles que la course aux ducats, Venise ne se départit pourtant jamais de son légendaire pragmatisme. Ici, les patriciens épris d'humanités ont une carrière politique à accomplir. D'où leur attachement aux

problèmes techniques de la navigation, de la guerre, de la construction navale… A Galilée, qui occupe la chaire de mathématiques à l'université de Padoue, c'est un traité sur la meilleure façon de fixer les rames des galères que commande le gouvernement. Et quand l'illustre savant offre sa fameuse lunette grossissante à la Sérénissime, on trouve

une église rongée par les scandales

plus intéressant de la pointer vers l'horizon pour surveiller les navires ennemis, que vers le ciel…
C'est encore grâce à ses vertus industrieuses que la cité parvient à jouer un rôle de premier ordre dans la diffusion des idées nouvelles. Rapidement, Venise devient le premier centre d'imprimerie d'Europe : en 1500, elle compte déjà 150 ateliers et a produit 4 000 éditions, deux fois plus que Paris, sa principale concurrente, et près d'un septième de l'ensemble de la production européenne ! Dès 1490, les étals des rues adja-

« Acceptez donc ce livret, mais non *gratis*. Il faut qu'on me donne de l'argent, afin que je puisse vous gratifier de tous les plus excellents livres de la Grèce. Ainsi donc donnant donnant : car je ne saurais imprimer sans argent, et même beaucoup d'argent ; fiez-vous à ceux qui l'ont appris à leurs risques et périls, et surtout à Démosthène s'exprimant ainsi : *"Il faut de l'argent, sans lui tout est stérile."* Ce n'est pas que j'en sois avide, et si j'en parle ainsi, c'est bien malgré ma répugnance. Pourtant, sans argent, pourrais-je jamais combler vos plus ardents désirs ? Pour moi je m'efforcerai d'accomplir ma tâche sans épargner ni labeur ni dépense. » *Alde Manuce*, préface à l'édition grecque des poèmes de Musée, 1498.

Giorgione : « les Trois Philosophes ». Huile sur toile. 123,8 × 144,5 cm. Vienne. Kunsthistorisches Museum.

centes à la place Saint-Marc regorgent de livres, un rêve pour les lettrés de l'époque. Voie d'échange naturelle avec l'Orient, Venise ne manque pas de matière première pour l'édition : ses bibliothèques possèdent un grand nombre de manuscrits, particulièrement grecs ou hébreux. En 1468, le cardinal Bessarion, lettré grec favorable à la réunification des Eglises d'Orient (byzantine) et d'Occident (romaine) lègue sa bibliothèque à la cité. Ses 752 manuscrits, dont 482 volumes grecs, constituent un fonds exceptionnel. Il possédait entre autres le fabuleux *Venetus A*, manuscrit d'Homère du Xᵉ siècle, qui reste aujourd'hui encore la principale source de l'*Iliade*... Humaniste, Bessarion avait exigé pour sa collection *« le libre accès pour tous ceux qui veulent lire et étudier »*, afin que *« de nombreux esprits soient éclairés, et que les livres soient utiles à tous ainsi qu'à la postérité »*.

Commerce oblige, Venise affiche aussi des tolérances peu communes ailleurs pour les juifs ou les marchands allemands entachés de luthéranisme : la cité ne manque pas une occasion d'afficher son indépendance vis-à-vis de la tutelle romaine. Réuni pour instaurer la Contre-Réforme catholique après la scission luthérienne, l'interminable concile de Trente, inquiet de la lascivité des musiques d'inspiration profane que l'on entend désormais à l'église, interdit par exemple l'usage en son sein de tout instrument « mondain » à l'exception de l'orgue. A Saint-Marc, Andrea et Giovanni Gabrieli, maîtres de chapelle avant-gardistes, continuent pourtant sans ennuis à développer un style de plus en plus instrumental, recourant largement aux violes, violons, cornets, sacqueboutes et bassons ailleurs frappés d'opprobre.

Malgré ces marques d'indépendance, Venise reste pourtant fidèle à l'Eglise catholique en crise. Rongée par les scandales, un bas-clergé ignare, le bellicisme des papes, son prestige est au plus bas. Dans les campagnes européennes, sur les routes, des dizaines d'illuminés, moines fanatiques souvent défroqués des ordres franciscains, vont comme des gueux, prêchant la pauvreté à des foules de plus en plus nombreuses, prédisant l'effondrement de la Rome honnie, l'Apocalypse... En Allemagne, des communautés fanatisées s'emparent de villes, massacrant les prêtres et les nantis, abolissant la propriété, restaurant la polygamie biblique... On craint le retour des sanglantes hérésies du XIIIᵉ siècle, la Sainte Inquisition rallume ses bûchers. Partout, des voix s'élèvent pour demander des réformes. Dès 1513, deux Vénitiens, Zustinian et Querini, lancent un vibrant appel au pape pour que l'Eglise corrige ses errements. Mais il ne sera jamais question de rupture. Si, à Venise, les procès des trois « sages » en charge des questions

hérétiques sont moins aveuglés de haine que ceux de l'Inquisition, il n'est pas question d'y laisser se développer le blasphème. Malheur à l'hérétique en rupture de ban qui croit y avoir trouvé refuge. En 1591, Zuane Mocenigo, riche patricien, décide de donner asile à Giordano Bruno qui depuis six ans erre dans les pays germaniques, pourchassé par l'Eglise. Moine dominicain, philosophe, docteur en théologie, Bruno avait quitté son ordre en 1576 à la suite de deux procès pour l'audace de ses thèses. A Venise, son repos est de courte durée. Sous la pression, son protecteur le livra à l'Inquisition le 23 mai 1592 et Rome obtint son extradition. Condamné pour hérésie au terme de huit années de cauchemar, il brûla sur le bûcher après qu'on lui eut arraché la langue pour les *« affreuses paroles qu'il avait proférées »*. A Venise, comme partout en Europe, ce 17 février 1600 eut un goût de cendres. ∎

l'industrie du Savoir

A Venise, premier centre d'imprimerie européen, Alde Manuce va donner ses lettres de noblesse au livre imprimé. Dans leur quête avide de manuscrits, d'audacieux entrepreneurs éditent tout. Et même n'importe quoi.

Tirées à cent exemplaires, les *Lettres* de Cicéron furent, en 1469, le premier livre imprimé à Venise. C'est un Allemand, Jean de Spire, qui réalisa cette première et importa ainsi l'imprimerie sur la lagune. Dans toutes les grandes villes d'Europe, de jeunes Allemands entreprenants introduisaient à la même époque cette nouvelle industrie née une vingtaine d'années plus tôt en Rhénanie. Son développement fut spectaculaire et décisif pour le renouveau des lettres, même si elle reçut d'abord un accueil des plus mitigés. D'un côté, les enthousiastes : cette invention allait permettre à chacun de puiser aux sources du savoir car il se trouverait toujours quelqu'un pour faire la lecture aux illettrés. De l'autre, les grincheux : rien de plus dangereux que de lâcher en pâture au peuple inculte des textes qu'il est incapable de comprendre sans aide. Malgré de multiples tentatives de réglementation, de nombreux ateliers surgirent instantanément et publièrent à tour de bras avant de disparaître, ruinés. Publier un livre demandait un investissement considérable mais pouvait rapporter gros. Les commandes « sûres » – cinq cents missels pour telle paroisse, cent

Cet atelier d'imprimerie est l'un des deux cents qui fonctionnent à Venise autour de 1520. Ils vont faciliter la diffusion des doctrines de l'humanisme à travers l'Europe.

La dernière page des « Asolani » de Pietro Bembo, imprimée en caractères italiques par Alde Manuce au mois de mars 1505.

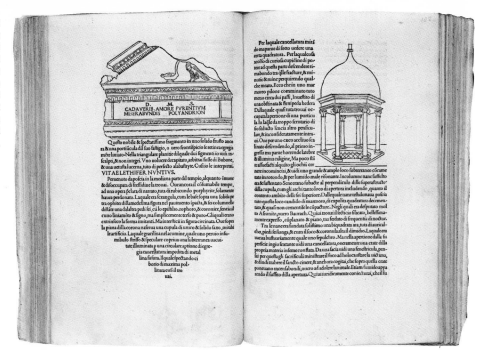

manuels juridiques pour telle université – étant rares, il fallait trouver des livres qui plaisaient au public. Le goût est aux antiques ? Publions des anciens ! Et l'on édita tels quels des manuscrits d'origine douteuse, rendus illisibles par des siècles de copies, d'erreurs, de gloses et de commentaires insérés aux textes originaux. Des lettrés peu scrupuleux se firent une petite réputation en publiant sous leur nom les cours d'illustres professeurs. L'on traduisit en « langue vulgaire » les Saintes Ecritures, pour qu'elles soient accessibles à tous, puis l'on simplifia un peu, pour que tout le monde comprenne bien, puis l'on résuma, car c'est un peu long la Bible, puis l'on ajouta des bouts de sermons volés çà et là, pour mieux expliquer… Et c'est ainsi que l'on trouva, peu après 1470, en Italie des *Fioretti della Biblia* où un auteur anonyme nous apprend entre autres prodiges qu'Hérode avait deux fils, Aristote et Alexandre (!), et que le Christ, dans sa jeunesse, convertit son professeur, un certain Socrate !? On comprend que des voix « obscurantistes » aient pu accuser l'imprimerie de rendre les Ecritures « laides et sales ». De nombreux humanistes, malgré tout confiants dans les vertus de l'imprimerie, s'attelèrent à la moraliser. Alde Manuce avait étudié le latin à Rome puis le grec à Ferrare. Il avait fréquenté le cercle de Pic de la Mirandole, avant de devenir un professeur bien établi. Un intellectuel humaniste, helléniste fervent, comme tant d'autres. En 1490, il s'installe à Venise qui est déjà devenue le premier centre d'impression d'Europe et, à quarante ans passés, devient imprimeur. L'idée d'Alde était de publier les textes antiques – et particulièrement grecs, grâce aux nombreux byzantins réfugiés dans la Sérénissime – dans leur version la plus pure possible, la plus proche de l'original. Ce qui supposait de retrouver les manuscrits les plus anciens, de comparer plusieurs versions pour en éliminer toutes les scories qui avaient déformé les textes au cours

Alde Manuce, le sauveur de la littérature antique

des siècles de copie. Bref, un immense travail de philologie, cette science des textes qui, depuis le siècle précédent, était devenue l'une des disciplines les plus respectées du savoir. Grâce à ses restitutions d'écrits sans le moindre commentaire, Alde apparut rapidement comme le premier éditeur compétent de textes classiques. Son prestige fut immense parmi les humanistes, Girolamo Bologni le considérait comme *« le sauveur de la littérature grecque et latine »*. Sollicitant la publication de ses traductions d'Euripide, Erasme lui écrit en termes particulièrement élogieux : *« J'estime que mes travaux acquerraient l'immortalité s'ils voyaient le jour imprimés dans vos caractères. »* Entre 1505 et 1508, Erasme passera près de deux ans chez l'imprimeur, y préparant une édition augmentée de sa collection de proverbes antiques, *les Adages,* travaillant lui-même à l'atelier à la correction des épreuves, perfectionnant son grec en fréquentant « l'académie aldine », ce cercle d'érudits pour la plupart Grecs réfugiés de Byzance, dont Alde s'entourait. Outre la pureté de ses textes, la réputation de l'imprimeur, inventeur du caractère italique et du petit format *in-octavo*, vint aussi du soin technique qu'il mit à ses éditions. S'il faut attribuer au prestige des lettres latines le triomphe du caractère romain sur les écritures nationales (romanes, gothiques…) dans une grande partie de l'Europe, l'énorme travail typographique de l'éditeur vénitien pour alléger la ligne et codifier la forme et la taille des caractères fut également décisif. A Bâle, Nuremberg, Paris… de grands imprimeurs allaient rapidement s'inspirer de la sobre élégance de ce caractère romain, parfois dit aldique. C'est également Alde qui publia, en 1499, l'*Hypnerotomachia* ou *Songe de Poliphile*, de Francesco Colonna, le livre le plus célèbre de l'époque, tant pour l'énigmatique magie de son texte à l'étrange mélange de latin, d'italien et de patois, que pour la beauté de sa typographie, de ses illustrations et de sa mise en page. Car si Alde faisait « renaître » les classiques, on compte aussi, sur les 124 ouvrages qu'il publia, un tiers d'œuvres contemporaines ou du siècle précédent. ∎

HOMMES DE LETTRES

Le Prince des humanistes, l'auteur de l'Utopie, l'« inventeur » de l'italien littéraire, l'infatigable apôtre du néo-platonisme. Un Hollandais, un Anglais, deux Italiens. Trois hommes d'Eglise, un homme d'Etat. Portraits choisis dans la république des lettres.

MARSILE FICIN
(1433-1499)

Sur les murs de son Académie platonicienne, dans la villa Careggi mise à sa disposition par Cosme de Médicis à Florence, Marsile Ficin avait fait peindre la Terre avec, d'un côté, Démocrite riant de la folie des hommes et, de l'autre, Héraclite pleurant sur leurs malheurs. Fils de médecin et lui-même médecin, astrologue, théologien, Ficin, bien que mort avant que ne débute le siècle, fut l'un des philosophes les plus influents de la pensée humaniste du XVIᵉ siècle. Ambassadeur de Venise à Florence, Bernardo Bembo, le père de Pietro, fréquentait assidûment son Académie et favorisa la diffusion du néo-platonisme dans la Sérénissime. Car, tandis que Padoue, dans la tradition médiévale, vénérait Aristote, Ficin en dénonça le matérialisme, source à ses yeux de panthéisme, pour lui préférer Platon dont il fut l'infatigable exégète. *De amore*, son commentaire du *Banquet*, fit longtemps autorité et connut au moins onze éditions en France, de 1484 à 1576. Il inonda le monde des lettres de traductions et de commentaires d'une nuée de néo-platoniciens (Plotin, Proclus, Porphyre, Orphée…) chez qui il voyait, moyennant *« quelques changements »*, des presque chrétiens. Il se passionna aussi pour les théologiens hermétiques qu'il croyait contemporains de Moïse et chez qui il décelait les bases des croyances humaines et le fondement d'une foi menant à la paix. La célèbre « mélancolie » cultivée par Ficin vient de l'état transitoire dans lequel nous vivons. Mais l'âme est individuelle et, bien que prisonnière sur terre d'un univers illusoire, appelée à la résurrection vers un idéal contemplatif.

Ordonné prêtre à quarante ans, Ficin publia aussi de nombreux ouvrages de médecine, où l'on retrouve des pratiques quasi aristotéliciennes (il faut manger des jaunes d'œufs, dont l'or vient du soleil), et croira toujours fermement à la « magie » des choses et à l'influence des esprits, comme des astres, sur les destinées humaines.

DESIDERIUS ERASMUS
dit Erasme de Rotterdam
(1469 ?-1536)

Fils d'un prêtre hollandais, moine et prêtre lui-même, Erasme a dévoré les classiques pendant ses études au couvent. Prototype de l'humaniste, convaincu que seule la maîtrise de la langue permet d'approcher les idées, il milite sans répit pour une épuration des scories qui boursouflent les textes après des siècles de copies. Cette petite chose qu'est la grammaire « *soulève des questions sans importance, mais dont les conséquences sont très sérieuses* ». Découvrant dans une abbaye un manuscrit du grammairien italien Valla, il s'attèle à une retraduction latine du Nouveau Testament qui déclenche l'opprobre des théologiens scolastiques : on ne « retravaille » pas la divine parole. Mais, pour Erasme, « *il n'y a pas de danger qu'on s'écarte tout d'un coup du Christ en apprenant par hasard qu'on a trouvé dans les Livres saints un passage qu'un copiste ignorant ou somnolent a altéré ou que je ne sais quel traducteur a rendu peu exactement* ». Son « humanisme chrétien » (l'érasmisme) fondé sur l'imitation du Christ (la charité), le retour aux Ecritures et l'abandon de pratiques sorties de nulle part au Moyen Age – il critiqua à mots couverts dans sa correspondance le célibat des prêtres – semble avoir influencé Luther. Mais Erasme aimait trop son Eglise et ses pères, Augustin, Jérôme, Basile, Chrysostome… pour envisager une rupture et il engagea, par livres interposés, une violente polémique avec le père de la Réforme. Voyageur inépuisable, Erasme entretint une énorme correspondance dans toute l'Europe. Prince des humanistes, il fut sans doute le premier intellectuel à atteindre une telle célébrité grâce à ses livres. Moraliste prêchant la tolérance et l'amour de l'Homme, idéaliste, pacifiste, Erasme n'était pas dupe des vicissitudes de son époque et savait manier une distance et un humour parfois corrosif, notamment dans son ouvrage le plus connu, l'*Eloge de la folie*, composé « *sur le dos d'une mule* » en traversant les Alpes lors de son voyage de retour d'Italie, où il avait séjourné près de deux ans chez Alde Manuce, à Venise.

Andrea Ferucci :
« Marsile Ficin »
[détail].

Holbein le Jeune :
« Erasme écrivant »
[détail]. Panneau.
42 × 32 cm.
Paris, musée
du Louvre.

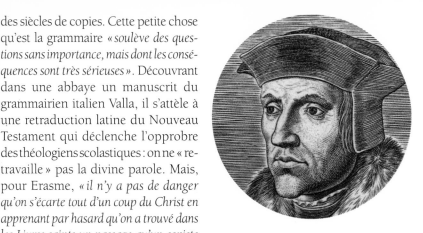

THOMAS MORE
(1478 ?-1535)

Thomas More se passionne pendant ses brillantes études pour les auteurs grecs et latins qu'il lit dans le texte mais, sur les injonctions d'un père haut magistrat, s'engage dans le droit. Avocat au barreau de Londres à vingt et un ans, il se fait remarquer par sa défense des petites gens et se lie d'une solide amitié avec Erasme, de onze ans son aîné, avec qui il correspondra toute sa vie. Elu aux Communes à vingt-cinq ans, il se distingue par son opposition farouche à Henry VII, lui reprochant son mépris du peuple et ses dépenses somptuaires. Henry VIII, le « jeune prince humaniste » qui a accédé au trône en 1509, le remarque lors d'une plaidoirie et l'appelle à ses côtés. Voulant faire de son prince *« un père pour le peuple et non un maître d'esclaves »*, More entame alors par devoir une carrière d'homme d'Etat qui le mènera jusqu'à la fonction de chancelier du royaume. Il devient rapidement un des conseillers les plus écoutés du souverain et son ambassadeur privilégié en Europe. Sa célèbre *Utopie* paraît en 1515, en latin. Le succès est immédiat. Le début de l'ouvrage est une féroce critique de l'Angleterre, de son culte de l'argent et du fait des princes, plus prompts à guerroyer qu'à améliorer le sort de leurs peuples. More développe ensuite l'idéal d'une société d'harmonie et de tolérance, démocratique, dominée par les sciences et les lettres, à la conception épicurienne du bonheur, haïssant la tyrannie, les honneurs, l'argent (la propriété n'existe pas en Utopie). Mais dans ce pays du bonheur obligatoire, imposé à tous, les sages Utopiens n'hé-

sitent pas à recourir à la guerre, à l'esclavage, à la colonisation… Pour More, l'Utopie, rattrapée par les contingences du réel, reste un « nulle-part ». Homme d'idéal, More était déchiré par la machiavélique réalité du pouvoir. Il en mourut. Laïc mais fervent croyant, il refusa de se prononcer sur le divorce d'Henry VIII qui devait mener le roi à l'excommunication.

Il refusa de même de reconnaître l'autorité du souverain sur l'Eglise d'Angleterre, après la rupture avec Rome. Son « prince humaniste » fit confisquer ses biens et, après une année d'emprisonnement, lui plaça la tête sur le billot. Par sa mort, Thomas More devint le symbole de la plus haute liberté spirituelle. Il compte désormais parmi les saints de son Eglise. Catholique et romaine.

PIETRO BEMBO
(1474-1547)

Homme d'Eglise, fils d'une haute famille patricienne, élevé dans le culte des lettres, Pietro Bembo se fait remarquer en 1501 par une célèbre édition, chez Alde Manuce, des poésies de Pétrarque. Bâties sur le modèle humaniste à la mode – une conversation contradictoire entre trois jeunes patriciens inspirée du *Banquet* – ce sont les *Asolani* qui font sa renommée littéraire en 1505. Hymne à l'amour pur, néo-platonicien, l'ouvrage s'attarde pourtant à décrire complaisamment les beautés charnelles de la femme. Il est dédicacé à Lucrèce Borgia, dont le futur cardinal s'était épris, non sans succès semble-t-il. Brillant orateur servi par une extrême érudition, Bembo fréquente les cercles lettrés dans les villes où il séjourne (Rome, Urbino…) et prend position pour l'imitation de la langue des meilleurs auteurs : le latin de Cicéron ou de Virgile, le vernaculaire de Pétrarque pour la poésie et celui de Boccace pour la prose. Après avoir été secrétaire du pape Léon X à Rome, il s'installe à Padoue et termine ses *Prose della Volgar Lingua*, publiées à Venise en 1525, et qui fondent l'usage de l'italien « vulgaire » en littérature à

une époque où les tenants de la supériorité du latin deviennent minoritaires. Contre ceux qui militent pour un italien composite (mélange de divers dialectes), Bembo choisit le toscan, et particulièrement le florentin, comme base de l'italien littéraire. L'ouvrage eut un écho retentissant dans les milieux let-

trés et contribua pour longtemps à « figer » la langue écrite en Italie, sans tenir compte de l'évolution des parlers populaires. En 1530, le Conseil des Dix le nomma historiographe de Venise et il prit la tête de la future Biblioteca Marciana qui conservait le fabuleux legs de manuscrits grecs du cardinal Bessarion. Il mourut à Rome et laissa (au moins) trois enfants.

Thomas More,
gravure [détail].

Titien : « Portrait
du cardinal Bembo »
[détail], 1540.
Huile sur toile.
94,5 × 76,5 cm.
Washington,
National
Gallery of Art.

Giorgione:
« les Trois Âges ».
Panneau.
62 × 77 cm.
Florence,
palais Pitti.

MONDE EN MOUVEMENT

En ce siècle de Renaissance, le monde tourne plus vite. L'homme découvre et invente les temps modernes. Quelques nouveautés du moment.

LA RÉVOLUTION DES PLANÈTES

En 1543, quelques jours avant sa mort, Nicolas Copernic, astronome, médecin et religieux polonais qui a étudié à Padoue et Ferrare, publie *De revolutionibus orbium cœlestium libri sex*. Contredisant le système géocentriste ptoléméen en vigueur depuis l'Antiquité, Copernic élabore une nouvelle théorie arguant que les planètes seraient animées d'un double mouvement, tournant simultanément sur elles-mêmes et autour du soleil. L'Homme, bientôt, allait cesser d'être le centre du monde.

Le système de Copernic représenté dans l'« Atlas céleste Cellarius », Amsterdam, 1708.

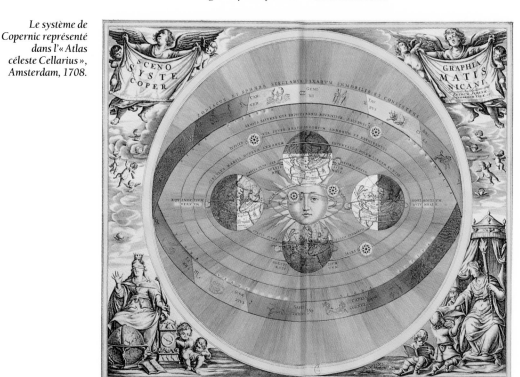

ITALIQUE, L'ÉCRITURE DU POÈTE

C'est, dit-on, en s'inspirant de l'écriture penchée du poète italien Pétrarque, depuis plus d'un siècle disparu, que l'éditeur et imprimeur vénitien Alde Manuce inventa le caractère « italique » à l'élégance toujours inégalée. La première utilisation connue de cette typographie est un *Virgile*, publié par Alde au format *in-octavo* en 1501.

rouò uno instrum erato, & riescem nte grandezza,

Caractères italiques extraits d'un ouvrage vénitien édité en 1569.

LA BOURSE PREND VIE

Ce sont les Van der Beurze, courtiers de père en fils à Bruges, qui donnèrent leur nom à cette vénérable institution capitaliste. Sur une place marchande, leur « hostel de Beurze », ouvert tous les jours contrairement aux foires, permettait aux marchands allemands, flamands, italiens, d'acheter et de vendre en permanence. Vers 1485, des marchands italiens importèrent cet usage à Anvers. La bourse était née.

LE FORMAT DE POCHE

En pliant la feuille de papier d'impression en huit feuillets – soit des cahiers de seize pages –, Alde Manuce allait inventer l'*in-octavo* (in-8°), le petit livre de poche. Un format bientôt repris dans les principaux centres d'imprimerie en Europe.

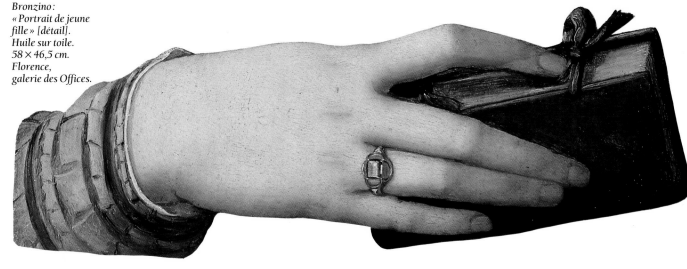

Bronzino : « Portrait de jeune fille » [détail]. Huile sur toile. 58 × 46,5 cm. Florence, galerie des Offices.

LA MUSIQUE IMPRIMÉE

En 1501, l'imprimeur vénitien Petrucci, adaptant à la notation de la musique l'usage des caractères « mobiles » de Gutenberg, invente l'imprimerie musicale. Le premier ouvrage à sortir de son atelier sera un recueil de chansons françaises qui sont, avec la musique flamande, les plus en vogue à l'époque.

Planche anatomique. Edition de Bâle, 1543.

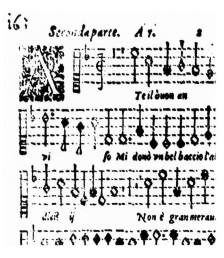

Page musicale, Venise, 1584.

CALENDRIER GRÉGORIEN

C'est Ugo Buoncompagni (1502-1585), pape à partir de 1572 sous le nom de Grégoire XIII, qui réforma en 1582 l'organisation de l'année et donna à la chrétienté le calendrier qui porte toujours son nom.

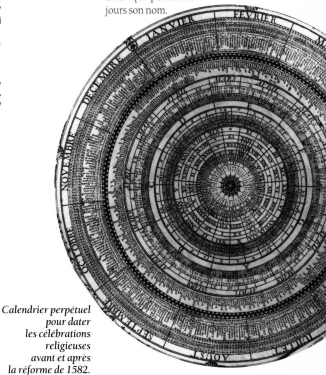

Calendrier perpétuel pour dater les célébrations religieuses avant et après la réforme de 1582.

L'ANATOMIE DE VÉSALE

En 1543, André Vésale, anatomiste flamand qui a enseigné à Louvain puis à Bologne et Padoue, publie à Bâle *De corporis humani fabrica libri septem*, le premier ouvrage d'anatomie moderne, dans lequel il exhorte les étudiants à expérimenter, à disséquer, « *à s'y livrer de leurs propres mains* ». Ce volumineux ouvrage de 663 pages eut autant de répercussions scientifiques qu'artistiques. Certaines de ses 300 somptueuses planches anatomiques auraient été réalisées par Titien ou au moins son atelier. L'année suivante, Vésale devint médecin de Charles Quint. Accusé d'avoir pratiqué une dissection sur un patient encore vivant, il dut cependant effectuer un pèlerinage en Terre sainte et périt lors d'un naufrage sur la route du retour, en 1564.

L'HEURE DE LA MONTRE

L'invention, au milieu du XVᵉ siècle, du ressort à spirale comme moteur des mouvements d'horlogerie, remplaça avantageusement les lourds systèmes à chaînes (ou cordes) et poulies utilisés depuis le XIVᵉ siècle. Les premières horloges de table, suivies des premières montres, apparurent au début du XVIᵉ siècle. Et l'on eut bientôt moins d'excuses pour expliquer son retard.

*Abaque
stellaire,
XVIᵉ siècle.*

à l'Ombre de la science

Fascinée par l'Antiquité,
la Renaissance
a tendance à croire les
Anciens sur parole.
Son intarissable soif
de connaissance
l'amène à s'intéresser
indifféremment à
l'astrologie et à
l'astronomie, aux
minéraux et à la pierre
philosophale, à la
médecine et à l'alchimie.

*En matière
de mystères, le XVIᵉ
siècle puise
souvent ses sources
dans l'Antiquité.
Cet alchimiste
mentionne des écrits
ésotériques de
l'époque hellénistique.
Gravure.*

*Ce devin prédit-il
un avenir
déterminé, ou bien
chacun reste-t-il
maître de sa destinée?
Gravure sur bois,
Venise, 1519.*

Le monde est un secret. Un secret tel
qu'on ne peut l'appréhender dans son
ensemble. Pourtant, en des temps recu-
lés, des savants en ont exploré des fragments: le mouvement, la botanique, la
médecine, les métaux, l'astronomie,
l'astrologie, l'alchimie… L'étude et la redécouverte de ces auteurs anciens, dont
l'autorité ne fait pas de doute, est indispensable pour pousser encore la
connaissance du monde. Parfois, grâce
à des méthodes nouvelles, certains savants peuvent même infirmer les thèses
des glorieux antiques: en 1543, l'anatomiste Vésale corrigera, grâce à la dissection, les thèses de Galien et du grand
Hippocrate qui venaient, vingt ans plus
tôt, d'être éditées avec succès à Venise.
Il est pourtant dangereux de trop s'approcher de certains secrets du monde.
Pic de la Mirandole, éminent philosophe initié à la kabbale (outre le grec et

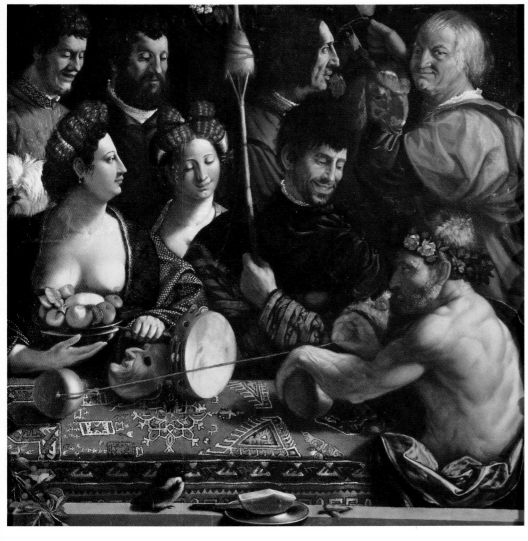

Dosso Dossi : « la Sorcellerie ». Malgré l'Inquisition, la sorcellerie, version démoniaque de l'ésotérisme, rassemble toujours des adeptes. Huile sur toile. 143 × 144 cm. Florence, galerie des Offices.

le latin, il pratiquait l'hébreu, l'arabe et le chaldaïque…), affirmait qu'il ne faut pas tout enseigner, que les plus hautes vérités doivent rester nimbées de mystère. Avec Marsile Ficin, précurseur de la pensée humaniste, nombre de savants croyaient que les initiés de l'Antiquité avaient enfermé dans de sibyllins messages codés leurs plus grandes découvertes. L'affection de Léonard de Vinci pour les écritures inversées n'était pas un cas d'espèce : philosophes, artistes, savants cultivaient l'ésotérisme, le goût du mystère, des hiéroglyphes, des cryptogrammes, des rébus, des charades, qui envahissaient les revers des médailles, les illustrations des livres ou les tableaux. Dans ce domaine, les énigmatiques compositions de Giorgione ont fait couler beaucoup d'encre. Que peut bien représenter sa *Tempête* ? Qui est cette femme (cette gitane ?) allaitant son enfant, et cet homme (berger ? soldat ? voyageur ?) sous un ciel zébré par l'éclair ? On y a vu Mercure et Isis, Adam et Eve, la naissance de Dionysos, le Ciel

copulant avec la Terre… On ne saura jamais. La réponse est enfouie au-delà de la peinture et de la forêt de symboles qui émaillent les toiles du maître, en un lieu secret dont les signes ne livreront pas la clef.
De l'ésotérisme à la sorcellerie, il y avait un pas, parfois (souvent) franchi. Du XIVᵉ jusqu'au XVIIᵉ siècle, les bûchers

respecter le secret des plus hautes vérités

flambèrent pour les sorcières. Pour se débarrasser d'un rival, le poison était aussi efficace qu'un coup de dague dans le dos. Grâce à l'Arétin, on sait que cordons ombilicaux, morceaux de cadavres, flux menstruels… étaient des ingrédients prisés pour la composition des philtres que les courtisanes offraient

à leurs amants. Si les esprits épris de rationalité se gaussaient de ces croyances barbares, d'illustres savants s'y laissaient prendre : médecin des cours de France, inventeur de la chirurgie, Ambroise Paré prouva dans *Des monstres* que « *les démons habitent les carrières* »… Plus innocente que la démonologie, la croyance aux vertus de l'astrologie est alors quasi universelle. Marsile Ficin, comme tous les néo-platiniciens, croit en la liberté de l'homme d'influer sur le cours de son existence. Pourtant le mouvement des astres balise la vie : de nombreux auteurs ou de simples observations le prouvent. Mais l'homme reste libre de suivre ou pas la voie soulignée par les étoiles : elles influent sur notre destin mais ne le déterminent pas. Prince, marchand, artiste, chacun consulte l'astrologue au moment des grandes décisions : est-ce le meilleur moment pour livrer bataille, voyager en mer, prendre épouse ? Mais, si l'on se sent assez fort pour affronter une conjonction défavorable, on est libre d'obéir ou pas à l'ho-

roscope. Si Pic de la Mirandole, Erasme, Luther raillent l'astrologie, comme Rabelais pour qui aucune planète ne possède sur les choses « *vertuz, efficace, puissance ne influence alcunes, si Dieu de son bon plaisir ne leur donne* », son importance reste largement admise même chez les esprits éclairés.
Dans leur quête frénétique du savoir, savants et humanistes sont sans doute trop épris des auteurs antiques pour les lire d'un œil critique. Surtout, ils sont curieux de tout. Et l'on ne voit pas pourquoi la recherche de la pierre philosophale ou l'influence des gemmes sur les destinées humaines seraient moins dignes d'exploration que le mouvement des astres ou la connaissance de la flore. Au début du XVIᵉ siècle, Théophraste Paracelse, médecin renommé diplômé de l'université de Vérone, également docteur en théologie et en droit, publia sur tout. Treize volumes de médecine, certes, mais aussi des livres sur les météores, l'astronomie, les secrets des pierres précieuses. D'un empirisme total, il collecta, lors de ses innombrables voyages, recettes de médecines populaires et remèdes de bonne femme et n'hésita pas à mêler un onguent ésotérique, voire une amulette, à sa propre pratique, pourvu que ça marche… Les secrets du monde sont impénétrables. Pendant ce temps, à Padoue, un certain Galilée découvrait que le monde était ordonné selon un ensemble de cercles, de lignes, de figures géométriques, bref, que les mathématiques permettaient de le décrire. ■

Table astrologique de Vénus, tirée du « Livre des sortilèges et de la chance ». Ouvrage italien du XVIᵉ siècle.

L'AMOUR EN BEAUTÉ

Titien: « la Toilette de Vénus » [détail]. Huile sur toile. 124,5 × 105,1 cm. Washington, National Gallery of Art.

Dieu nous a donné l'amour, signe de sa souveraine bonté. L'amour inspiré par la beauté conduit les hommes à approcher la puissance céleste. Cette philosophie, inspirée des œuvres de Platon, fonde la réflexion des penseurs du début du siècle. Et Venise démocratise jusqu'à la caricature une théorie à l'origine plutôt austère. Grande bénéficiaire de cette nouvelle passion pour l'amour, la beauté du corps féminin. Les nus, saintes vénérées et nymphes mythologiques, connaissent une ferveur nouvelle, et renouent avec les canons de l'Antiquité classique. Mais le secret des beautés vénitiennes doit autant aux charmes séculaires qui s'affichent dans la rue qu'à la statuaire grecque. Venise voit se développer au cours du siècle le rôle ambigu des courtisanes, ambassadrices particulières du beau, civilisatrices et amoureuses renommées dans toute l'Europe. La beauté, la femme et la nature : le mariage tout vénitien de ces trois sources d'inspiration marque de son empreinte harmonieuse les œuvres des peintres du siècle.

LE RÈGNE DE VÉNUS

« Prenez sans hésiter la décision de rendre visite à Venise et, vous le verrez, tous les autres pays vous paraîtront des hospices. Un Florentin m'a fait bien rire : en voyant une gondole richement parée où il y avait une superbe jeune mariée, il s'écria dans sa stupéfaction devant les cramoisis, les bijoux et les ors qui la faisaient étinceler : *"Nous ne sommes qu'un tas de chiffons !"* Il ne se trompait guère, car ici les femmes de boulanger et de tailleur ont une allure plus luxueuse que les nobles dames des autres villes. Et tous ces visages que l'on embrasse ! Et toutes ces chairs que l'on caresse ! Quels fieffés ignorants ont entrepris de placer Vénus et Cupidon dans l'île de Chypre ! C'est ici que la déesse règne avec toute la bande de ses petits. Je suis sûr de dire vrai quand je prétends que le Bon Dieu y passe avec plaisir onze mois sur douze. Ici pas le moindre mal de tête, pas de pensée de mort ; la liberté s'y promène jupes relevées sans trouver personne pour lui dire *"baisse-les"*. Ayez donc envie d'y venir ! »

L'Arétin, lettre à Francesco Bacci, 1537.

L'ART DE LA TEINTURE

« On trouve à Venise sur les toits des maisons des édicules de bois en forme de loggias découvertes que l'on appelle *altane*. C'est là qu'avec beaucoup d'art et d'assiduité sinon toutes, du moins la plupart des Vénitiennes, se font blondir les cheveux avec diverses sortes d'eau préparées à cet effet. Non sans endurance, elles choisissent le moment de plus forte chaleur pour s'exposer au soleil, et humectent leur chevelure à l'aide d'une éponge liée à une baguette de bois. Le miroir à la main, elles portent un vêtement de soie ou quelque batiste légère qu'on nomme *schiavonetto* (petit esclave) et sur la tête un chapeau de fine paille nommé *solana*, qui les protège du soleil. »

Cesare Vecellio, « Des vêtures anciennes et modernes des diverses parties du monde », 1590.

l'Amour mis à nu

Inséparable de l'amour du bien, l'amour du beau. Une aubaine pour les intellectuels, les rêveurs, les amoureux. Venise s'inspire du Banquet de Platon pour philosopher sur l'amour, la grande affaire de l'époque. Mais surtout met en pratique : les réunions mondaines font assaut de conversations galantes. Débarrassée de ses oripeaux de tentatrice médiévale, la femme incarne la beauté.

Les Vénitiens du début du siècle ont un grave sujet de préoccupation, un thème de discussion philosophique, un objet de recherche et de questionnement : l'amour. C'est à son sujet que l'on traduit, que l'on écrit et que l'on commente ; c'est pour en débattre que l'on se réunit en doctes assemblées ou en plaisante compagnie ; c'est inspiré par sa grâce que l'on peint et que l'on compose. C'est l'amour qui littéralement fonde la Renaissance vénitienne.

A vrai dire, tout vient de Florence. Et plus précisément de Marsile Ficin qui publie en 1469 son commentaire du *Banquet* de Platon. Humaniste florentin, il est l'ami du Vénitien Bernardo Bembo, le père de Pietro, poète, admirateur et inspirateur des peintres vénitiens, à commencer par Giorgione. Ficin transmet le *Banquet* à Venise, en confiant son manuscrit à Bernardo et en travaillant avec l'incontournable éditeur vénitien, Alde Manuce. C'est à partir du *Banquet* que les intellectuels et de riches Italiens essaieront de concilier le christianisme et l'héritage antique tout juste redécouvert. Le texte de Platon relate une conversation : quelques célèbres Athéniens et une Athénienne,

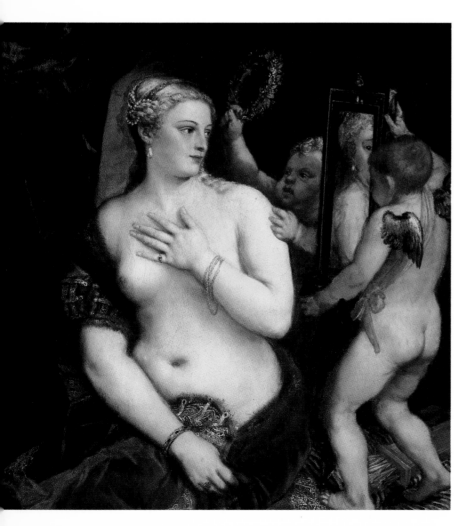

Titien : « la Toilette de Vénus » [détail]. Washington, National Gallery of Art.

Pendant le carnaval les réceptions privées battent leur plein. Hiéronymus Francken : « Carnaval vénitien » [détail]. Panneau. 42 × 65 cm. Aix-la-Chapelle, Svermondt-Ludwig-Museum.

Page de gauche, une Vénitienne se teint les cheveux en blond. Xylographie extraite de l'ouvrage de Cesare Vecellio, 1590.

LA CONCORDE DES ÉLÉMENTS

« Quelle langue humaine sera digne de te louer comme tu le mérites, ô amour ? Ô très saint et très bel amour, tu es né de l'union de la beauté, de la bonté et de la sapience divine, et de ce lien et par ce lien, comme en un cercle tu consistes. Délicieux lien du monde [...] tu unis en concorde les éléments, tu meus à produire la nature, et ce qui est soumis à la naissance, tu le portes à la succession de la vie. Ce qui est séparé, tu le réunis, ce qui est imparfait, tu l'accomplis, ce qui est dissemblable, tu l'assembles ; aux inimitiés, tu apportes amitié, à la terre tous les fruits, à l'océan la paix, au ciel, la lumière de la vie. » Baldassare Castiglione, « le Courtisan ».

Titien : « l'Amour sacré et l'Amour profane » [détail]. 1514. Huile sur toile. 118 × 279 cm. Rome, galerie Borghese.

BONNES ADRESSES

1. Anzola Trvisiana, rio de Drio, garante Madalena del Prete au traghetto de San Felice, 4 écus.
2. Alvisa, chemin des Frari, au pont des Saoni, garante Chate Schiavona à Sainte Catherine, 2 écus.
3. Anzola Bechera, au pont des Lateri, garante Médée, à San Chioppo, 1 écu.
4. Antonia, Rive Giuffa, garante : elle-même, 2 écus.
5. Andriana, à San Barnaba, près de la Maison Zane, garante Meneghina Grega, 2 écus.
6. Atallante, près de la Madeleine, garante Costanza, au pont de Travers, 1 écu. [...]
Catalogue des principales et plus honorées courtisanes de Venise, avec leur nom, celui de leur garant et leur adresse.

questionnés par Socrate, expliquent chacun leur définition de l'amour. L'œuvre inspire les poètes qui multiplient les *trattati d'amore*, gloses sur l'amour construites en forme de conversation. Mais surtout transmet une des grandes lignes de la pensée athénienne : que le beau suscite l'aspiration au bien, qu'il en est l'émanation

Dissimulée sous une cape noire, cette courtisane cherche à cacher sa profession en portant des habits ordinairement réservés aux femmes de bonnes mœurs. Gravure extraite de l'ouvrage de Cesare Vecellio, 1589.

terrestre. Que dit le néo-platonicien Marsile Ficin de l'amour ? Que « *l'amour est désir de beauté* ». Saint désir que celui de la beauté ! Car, « *nous ne voyons point l'âme, et donc nous ne voyons pas sa beauté ; mais nous voyons le corps qui est image et ombre de l'âme, de sorte que tirant conjecture de cette image, nous estimons qu'en un beau corps soit une belle âme* ». La beauté est « *fleur de bonté* ». C'est elle qui donne envie d'accéder au savoir, à la connaissance et à la représentation du bien. Voilà qui peut sembler bien païen. Sauf à impliquer Dieu lui-même dans l'harmonie générale. Les textes de Platon, dans leurs références à un souverain bien, autorisent tout à fait le glissement. Dieu devient donc « *fontaine pérenne* » de beauté, à laquelle on accède par une « *échelle merveilleuse* » dont la forme terrestre est le premier degré. Les

amours transitoires de ce monde, inspirées par le désir de la beauté éternelle de Dieu, prennent un relief céleste. La connaissance n'est pas uniquement l'affaire de l'intellect : les sens participent

amour divin, amour humain, amour bestial

eux aussi du savoir humain. Une telle approche laisse la part belle à l'interprétation. Le thème littéraire et pictural si vénitien des « deux Vénus » en témoigne. La Vénus céleste et la Vénus terrestre sont mères respectivement de l'amour divin et de l'amour humain, correspondant chacun à des sphères différentes de l'homme. Ces deux sortes

d'amour sont également estimables, « *honorables et dignes de louanges bien qu'à des degrés différents* ». Elles sont liées intimement, puisque c'est inspirée par la Vénus céleste que la Vénus humaine cherche à reproduire les formes merveilleuses que la première lui a laissé deviner.

Il existe bien un troisième du nom, l'amour bestial. Mais, irrationnel et essentiellement charnel, il conduit à des excès déplorables, ce qui le met hors-sujet. Comparable à une maladie, il ne devrait d'ailleurs pas bénéficier du nom sacré d'« amour ». A moins que, entraîné par cette « *force innée et intuitive* » qui harmonise l'univers, « *et qui incite ce qui est bas à se tourner vers ce qui est meilleur et plus haut* », l'amour bestial lui-même n'atteigne enfin à la sainteté. Un vieux débat attribue des valeurs aux différents

L'ATTRIBUT EN MÉDAILLE

« Quel mal y a-t-il à voir un homme monter sur une femme ? Les animaux seraient donc plus libres que nous ? L'attribut que nous a donné la nature pour sa propagation même devrait, à mon avis, se porter au cou en pendentif ou comme médaille sur le béret, car c'est la source d'où naissent des fleuves d'êtres humains et l'ambroisie que boit le monde aux grands jours. »
L'Arétin, lettre à Battista Zatti de Brescia, 15??.

Titien :
« Bacchanale »,
1518. Huile sur toile.
175 × 193 cm. Madrid,
musée du Prado.

sens, médiateurs de la connaissance du bien. Goût, odorat et toucher sont également bas, n'incitant qu'à l'amour bestial. Les deux sens élevés, la vue et l'ouïe sont, eux, l'objet d'une rivalité. Ficin se range à l'avis des philosophes qui l'avaient précédé, suivi en cela par le Vénitien Bembo : l'ouïe est supérieure, puisqu'elle donne accès directement à la beauté de l'âme, tandis que la vue doit en passer par celle du corps. La musique et les arts visuels sont ainsi sacrés.

Non contents de philosopher à partir du *Banquet*, Florentins et Vénitiens vont le mettre en pratique. Les réunions mondaines se donnent des allures athéniennes. A Florence, l'Académie se réunit pour philosopher doctement, entre hommes de préférence. Ficin, fidèle à la tradition antique, préfère leur compagnie. Mais, en débarquant à Venise, le discours néo-platonicien se popularise et surtout se féminise. Il est vrai que dans ce modèle de tolérance qu'est la République de Venise, l'amour, son appréhension et sa pratique sont des sujets extrêmement concrets ! De méditation philosophique, le « banquet » va y devenir une conversation galante, menée dans des assemblées réunies autour

de femmes. Le maître d'œuvre de cette adaptation est Pietro Bembo. Son outil en est un dialogue, les *Asolani*, publié en 1505, par Alde Manuce évidemment. Les *Asolani* se déroulent dans les jardins de l'ancienne reine de Chypre, Catherine Cornaro, installée à Asolo. Le mariage de sa dame d'honneur préférée est précédé de trois jours de réjouissances et de conversations galantes sur les mérites de l'amour.

Grande bénéficiaire de cette revalorisation de la beauté : la femme. En rupture avec la tradition médiévale, qui se méfiait des tentatrices, la beauté est désormais mise au crédit de la femme : *« Enfin ces pauvres femmes,* écrit le Français Brantôme, *sont créatures plus ressemblantes à la divinité que nous autres, à cause de leur beauté ; car ce qui est beau est plus approchant de Dieu qui est tout beau que le laid qui appartient au diable. »*

Les cercles mondains de l'Italie sont or-

ganisés autour des *donne di palazzo*, hôtesses pleines de charme et de talents. Ces dernières sont indispensables à tout cercle qui se respecte. La nouvelle alliance des hommes et des femmes s'inscrit dans une époque qui va s'efforcer par tous les moyens de marquer la différence entre les sexes. Tant dans le vêtement que dans le maquillage, les attitudes, les mouvements, femmes et hommes sont invités à cultiver ce qui les distingue. Promoteur de la différence respectueuse, *le Courtisan* de Baldassare Castiglione, publié en 1528, est un « best-seller » européen. Définissant l'idéal de l'homme de cour, il s'étend sur les relations entre hommes et femmes de bien. Et il témoigne d'une position qu'on a pu assimiler à un premier « féminisme ». Il prône en effet une égale dignité des sexes, auxquels il reconnaît les mêmes qualités de cœur et d'esprit, de courage et d'honneur, et la même capacité à être chefs d'Etat, artistes ou philosophes. Son œuvre, écrite en forme de dialogue bien sûr, se termine sur un vibrant plaidoyer en faveur de l'amour « platonique ».

L'hallucinant *Songe de Poliphile*, du dominicain Francesco Colonna (1499),

fait un sort définitif aux aspirations désormais dérisoires à l'ascétisme. Polia, l'amante de Poliphile, a fait vœu de chasteté devant la terrible Diane. Mais elle finit par rompre son serment, croque le fruit de l'amour, renonce à la continence et se convertit à la religion vénusienne. Les amants sont baptisés par la déesse, à laquelle ils se vouent et qui leur accorde sa sainte bénédiction. De l'aspiration à la beauté divine, qui pouvait se satisfaire de chasteté, à la vénération de la pratique amoureuse, il y avait un pas. Un pas tout sensuel et païen que franchit Colonna. L'œuvre eut un retentissement considérable. La divinisation de l'amour allait enflammer l'exaltation érotique ambiante. La libre Venise publia les ouvrages pornographiques interdits partout ailleurs. Dans les sonnets licencieux de l'Arétin, l'ami de Titien, on peut voir la naissance d'un libertinage assumé qui n'allait toutefois se développer pleinement que quelques décennies plus tard.

Reste que, païenne ou chrétienne, la Nature qui a fait la femme belle l'a créée nue. Aussi c'est nue qu'elle sera divine, et vêtue qu'elle caractérisera le siècle. Les Vénitiens vont développer tout par-

nouvelle alliance entre les hommes et les femmes

INVITATION

« Madame Franceschina, nous vous attendons ce soir à souper, Titien, Sansovino et moi. Mais à condition que vous nous meniez messire Hippolito afin que, si mes plats manquent de saveur, la douceur de votre musique y supplée. Je vous baise ces mains que vous avez si belles et douces. »
Veronica Franco, Lettres, 1548.

LE TRAFIC DE LA BEAUTÉ

« Le lundi à souper, 7 de novembre, la signora Veronica Franco, gentifemme vénitienne, envoya vers lui [Montaigne] pour lui présenter un petit livre de lettres qu'elle a composé ; il fit donner deux écus audit homme. [...].
Il n'y trouva pas cette fameuse beauté qu'on attribue aux dames de Venise ; et si vit les plus nobles de celles qui en font traficque ; mais cela lui sembla autant admirable que nulle autre chose d'en voir un tel nombre, comme de cent cinquante ou environ, faisant une dépense en meubles et vêtements de princesses ; n'ayant autre fonds à se maintenir que de ce traficque ; et plusieurs de la noblesse de là, même avoir des courtisanes à leurs dépens, au vu et au su d'un chacun. »
Montaigne, « Journal de voyage », I, 4.

Titien : « Couple mythologique enlacé ». Pierre noire et fusain sur papier bleu gris. 25,2 × 26 cm. Cambridge, Fitzwilliam Museum.

HAPPÉE VERS DIEU

« L'âme est enflammée par la splendeur divine qui luit dans la beauté d'une créature humaine comme dans un miroir, et qui se trouve mystérieusement happée vers le haut comme par un crochet pour devenir Dieu. »
Marsile Ficin, « Théologie platonicienne ».

---

ticulièrement cette idée, en cherchant à harmoniser le corps dévêtu de la femme et la campagne, berceau et illustration de la bonne Nature. Ils vont trouver l'inspiration dans la poésie latine, et plus particulièrement dans Virgile. Dans ses *Bucoliques,* le poète latin crée le mythe de la bonne Nature, source et place du bonheur, peuplée de charmants bergers. Les Vénitiens s'inspirent de ses *Eglogues,* qui transportent ses personnages de la Sicile dans une imaginaire Arcadie. Plus artistes que bergers, ces Arcadiens se livrent, dans un cadre délicieux, à leurs arts, et notamment à la musique dont ils sont d'admirables interprètes. La publication en langue italienne d'*Arcadia,* un ouvrage de Jacopo Sannazzaro, directement inspiré de Virgile, crée un véritable courant, l'arcadisme. Giorgione en sera le plus grand porte-parole, inventant le paysage pastoral dédié au plaisir des sens et à la perfection de l'esprit. Mariant amour des arts, des corps et de la nature, l'arcadisme donne naissance à ces paysages curieux, à ces réunions mondaines à demi déshabillées, à ce monde réconcilié qui restera en héritage aux siècles suivants. ∎

Titien : « Portrait de Catherine Cornaro en sainte Catherine d'Alexandrie » [détail]. Huile sur toile. 102,5 × 72 cm. Florence, galerie des Offices.

Catherine Cornaro reçut le domaine d'Asolo, rendu célèbre par les extraordinaires fêtes qui y seront données, en contrepartie de son abdication forcée au trône de Chypre. Elle arrive ici solennellement à Venise. Antonio Vassilacchi : « le Débarquement à Venise de la reine de Chypre Catherine Cornaro ». Huile sur toile. 229 × 770 cm. Venise, musée Correr.

Le retour aux textes antiques va bouleverser le système d'images mis en place par la foisonnante imagination médiévale. Les grandes figures des déesses et des dieux païens vont revenir sur scène dans une pureté qu'on avait oubliée. Sans cesser d'ailleurs pour cela de se référer à une philosophie chrétienne. Mais leur alliance va changer de sens. Les romanciers et les poètes médiévaux pratiquaient l'amalgame des légendes. Les hommes de la Renaissance vont chercher à édifier un système symbolique qui s'efforcera de répondre, d'une manière cohérente, à la fois à l'héritage antique et à l'héritage chrétien. La tradition chrétienne a inspiré largement les artistes. Les représentations de scènes mythologiques sont infimes, comparées à la masse des sujets religieux.

femmes au figuré

Mais par leur nouveauté, elles revêtent une importance particulière. Les mythes antiques passent alors pour être une « théologie poétique ». Derrière les images, les hommes de la Renaissance se sont attachés à chercher symboles, allégories et vastes correspondances en peignant les dieux et les héros mythologiques ; un Titien songeait autant à mettre en scène une « histoire », le plus souvent inspirée par le poète latin Ovide, qu'à illustrer des idées. Païennes ou chrétiennes, les figures féminines allaient toutes se rejoindre dans une aspiration à la beauté idéale, et donner naissance à une solide postérité classique. Mais jamais elles ne furent investies d'autant de sens et de volonté de signifier.

*Giorgione :
« Vierge et l'Enfant
dans un
paysage » [détail].
Panneau.
44 × 36 cm. Saint-
Pétersbourg,
musée de l'Ermitage.*

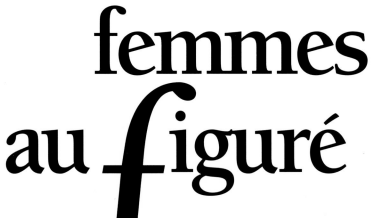

*Derrière la beauté se
profile l'allégorie.
Vierge, saintes ou déesses
antiques, les figures
féminines portent un sens
profond, un enjeu
caché. Portraits de dames
avec symboles.*

*Titien : « Adam et
Eve » [détail].
Huile sur toile.
240 × 186 cm.
Madrid, musée du
Prado.*

le retour de Marie

Le culte de Marie connaît alors une vigueur exceptionnelle. De 1420 à 1539 les tableaux italiens qui représentent la Vierge sont deux fois plus nombreux que ceux qui représentent le Christ ! Les représentations de la Vierge se scindent alors en deux grands courants. L'un consiste dans les scènes familiales, et reflète en quelque sorte une version bourgeoise du culte. L'autre, celui de la Vierge couronnée, de la Vierge de gloire, en est le pendant aristocratique. Souverainement bonne, Marie est aussi la souverainement belle. Cette représentation a quelque chose de foncièrement païen. La Réforme qui explose au milieu du siècle ne s'y trompera pas. A travers Marie, elle visera ce paganisme qui avait envahi les cours papales elles-mêmes, où l'on associait volontiers Vénus et Marie, le Christ et Apollon.

Eve, l'envers de Marie

Même revue avec l'optimisme humaniste de rigueur, la belle Eve n'en reste pas moins la première pécheresse. Marie fait entrer le féminin dans l'orbe de la pureté d'avant le péché originel. Elle renvoie ainsi au purgatoire l'encombrante Eve, qui avait accumulé sur son corps tentateur les foudres médiévales. Marie constitue un bon substitut : baptisée « Nouvelle Eve », elle incarne la représentation de l'absolue, et innocente, beauté féminine. C'est que l'Eglise tient à le rappeler aux humanistes – la faute et l'indignité de l'homme sont toujours d'actualité. La divinisation de Marie souligne, par contraste, la faute d'Eve.

Danaé,
l'innocence séduite

En bas de l'Olympe, les princesses légendaires de l'Antiquité générèrent aussi l'engouement. C'est le cas de Danaé, que son père avait enfermée dans une tour de bronze pour l'éloigner des hommes et que le licencieux Jupiter séduisit en se transformant en pluie d'or. Innocente séduite, à la fois chaste et couverte d'or, Danaé fécondée par une pluie d'or pouvait opportunément rappeler Marie séduite par le Saint-Esprit ou, dans une approche plus vénitienne, évoquer la courtisane alanguie, conquise par l'or. Andromède, Ariane, Europe allaient aussi prêter leurs charmes à l'inspiration des artistes.

Titien : « Sainte Marguerite ». Huile sur toile 242 × 182 cm. Madrid, musée du Prado.

Titien : « Vénus d'Urbin » [détail]. Huile sur toile. 119 × 165 cm. Florence, galerie des Offices.

Vénus sont souvent représentées avec leurs enfants terribles, Eros (ange aux yeux bandés) et Antéros (ange aux yeux ouverts à la vérité et à la beauté), qui représentent aussi les deux visages de l'Amour. Autre compagnon fidèle de Vénus : Mars. Ensemble, ils sont l'image des formes primitives qui gouvernent l'univers, l'amour et la puissance. Le couple servira de thème pour illustrer les mariages des patriciens.

Diane cruelle

Concurrençant Vénus, Diane. Dévoilant ses formes androgynes, la belle chasseresse a fourni un prétexte pour peindre avec concupiscence des corps d'hommes. C'est du moins ce qu'estiment certains historiens. Mais Diane, chaste et cruelle, a bien d'autres valeurs. A la fois terrestre, céleste et infernale, elle représente le monde de la chasse, de la nuit et de la magie. Elle est la sœur d'Apollon – divinité du soleil, de la beauté et de la musique –, non moins beau, cruel et maléfique. Là encore, le couple fraternel figure l'alliance de forces primitives. Le sort effroyable que Diane a réservé à Actéon en fait en outre une allégorie propre à séduire le XVIe siècle. Parce qu'il l'avait – sans le vouloir toutefois – surprise nue à son bain, Diane transforma le jeune chasseur en cerf et le laissa dévorer par ses chiens. Actéon, qui bénéficia d'une belle descendance picturale, illustre le danger du regard et la déchirure de la passion.

Tintoret : « Danaé » [détail]. Huile sur toile. 142 × 182,5 cm. Lyon, musée des Beaux-Arts.

les deux Vénus

Les figures féminines antiques vont charrier une multitude de sens. Première d'entre elles, Vénus, mère de l'Amour, personnage aux multiples figures. L'Antiquité, bonne fille, lui attribue différentes naissances, qui seront interprétées comme les différentes facettes d'une même puissance. Ainsi la Vénus céleste est née des organes génitaux d'Uranus, tranchés par son fils et jetés dans la mer. La mer rendit dans son écume la déesse à la terre. Créature sans mère, indépendante de la nature matérielle, cette Vénus est tout entière logée dans les sphères de l'esprit. L'autre Vénus, la Vénus humaine, est la fille de Jupiter et de Dioné (une déesse primitive que l'on peut confondre avec Junon). D'origine divine elle aussi, mais née tout à fait naturellement, cette Vénus réside dans les sphères inférieures de l'être. Les

saintes ambiguës

Les saintes forment un cortège de sujets, de Marie-Madeleine au double visage, pécheresse et repentante, à Marguerite qui affronta et vainquit le dragon armée d'un petit crucifix. Sans oublier la très peu sainte, mais affolante, Salomé, qui exigea d'Hérode la tête de saint Jean-Baptiste pour prix de sa danse. Un crime qui, de démoniaque qu'il était à l'origine, passa un temps pour un geste d'amour : c'est pour punir l'amour de Salomé qu'Hérode exécuta Jean-Baptis-

te et c'est par désespoir amoureux que Salomé demanda sa tête. Elle se voua ensuite à la chasteté. Edifiant.
Plus bourgeoise, la mère de Marie, sainte Anne, inspira une flamme qui rivalisa quelque temps avec le vigoureux culte marial, au point qu'un chroniqueur du début du siècle a pu écrire : *« La dévotion à sainte Anne, à laquelle on avait peu pensé auparavant, éclipsa même la fille, la digne mère de notre Seigneur et de tous les saints. »*

Modelé dans l'argile de la terre mère, le corps de la créature humaine participe pleinement à la volonté d'harmonie et de grâce qui régit la nature. Mieux, c'est dans son chef-d'œuvre du sixième jour que le Grand Architecte, au meilleur de sa forme, disposa tous les rapports existants dans le monde. L'homme n'est plus l'âme locataire d'un corps souffrant. C'est un monument sacré, l'acmé architecturale de la Création. En lui se rejoignent et se marient toutes ces lignes qui unifient en secret la marche de l'univers. Pour les hommes de la Renaissance, cette compréhension très chrétienne du corps de l'homme (et de la femme par voie de conséquence) trouve une preuve flagrante de sa validité dans la statuaire antique. Les corps glorieux d'Adam et d'Eve ne sont plus torturés par la tentation et le châtiment mais peuvent rejoindre, dans leur gloire originelle, ceux de Mars et de Vénus, dieux des forces primordiales.

A la fin du XVe siècle, les représentations du corps, aussi bien en statuaire qu'en peinture, rompent avec les canons de la beauté développés au Moyen Age pour retrouver ceux de l'art antique et se les approprier. Qu'ils traitent des corps parfaits des dieux antiques ou du Christ, de la Vierge et des saints, les artistes vont poursuivre une obsession, celle de la beauté originelle. Finis les corps gothiques aux ventres allongés comme des ogives, les épaules étroites et les seins minuscules. Pour les hommes de la Renaissance, Adam et Eve ont des incarnations de pierre choisies entre toutes pour leur perfection, *l'Apollon du Belvédère* et la *Vénus de Médicis*. Les lignes antiques se marient volontiers avec la passion des chiffres qui caractérise l'époque. Le corps s'inscrit en effet dans des normes calculées avec une précision maniaque. A la charnière du siècle, des efforts obstinés sont accomplis pour déterminer le canon idéal des proportions. Une bonne part des mesures viennent directement de la sta-

la beauté sur Mesures

Devenus modèles corporels, Adam et Eve semblent libérés du fardeau du péché originel. Dessin de Pâris Bordone. Paris, musée du Louvre

« L'Apollon du Belvédère » trouve au XVIe siècle de nouveaux admirateurs.

Les artistes se lancent dans la recherche éperdue de la beauté originelle. Les canons antiques leur fournissent chiffres et mesures pour s'assurer des proportions idéales. Mais ils ne suffisent pas à expliquer le charme troublant des Vénitiennes. C'est que les vrais canons sont dans la rue.

Le nez, les yeux, la bouche, chaque organe doit participer d'un nouvel idéal de beauté. Palma le Vieux: « la Belle » [détail]. Huile sur toile. 95 × 80 cm. Madrid, collection Thyssen-Bornemisza.

tuaire grecque de l'époque classique. Elles ont été développées, théorisées et transmises par les Romains Varron et Vitruve. Vitruve soutenait notamment que le corps humain représente un modèle de mesure, car, bras et jambes étendus, il s'inscrit dans ces formes géométriques « parfaites » que sont le carré et le cercle. À l'âge d'or du corps doit répondre le nombre d'or des formes. Comme les formes architecturales, les formes humaines prétendent à la pureté de la mathématique. Et elles se prêtent à l'interprétation, grâce à un système de clefs qui les rend intelligibles. Mais la recherche du canon parfait ne fournit pas toujours les résultats probants que l'on pouvait espérer. Elle donna naissance, dans toute sa rigueur, à quelques gorilles solidement charpentés. Mais au-delà des chiffres, reste un mystère : le charme prégnant des beautés vénitiennes qu'aucun tracé géométrique ne suffit à expliquer. Car des canons de la beauté à ce qu'on appelle un « vrai canon », il y a une nuance. Une nuance faite d'humeur des temps, d'intelligence et de grâce que les artistes vénitiens ont restituée dans leurs œuvres. Leurs représentations gourmandes, saturées d'érotisme, étaient faites aussi pour séduire et charmer. Ni leurs commanditaires, ni eux-mêmes ne s'y trompaient. Mais qu'était une jolie femme à Venise ?

Une jolie femme ne pouvait se contenter d'être bien charpentée. Elle se devait d'être ronde, « non grasse mais charnue », « succulente ». La minceur sinueuse de la beauté médiévale n'est plus de mise. Elle devient même synonyme de laideur, de mauvaise santé et de pauvreté. C'est que la sous-alimentation engendre rachitisme, scorbut et maladies. Les femmes de bien s'efforcent donc de témoigner de leur aisance en affichant un embonpoint de bon aloi. Les livres de cuisine d'alors font la part belle à la graisse, au beurre, au sucre, là où quelques décennies plus tôt, ils prônaient les sauces acides et aigres. Les Vénitiennes et les Napolitaines se gavent

même de deux sortes de massepain à seule fin d'entretenir leurs rondeurs. Dans le même esprit, pour ne pas passer pour une pauvresse, il est impératif de conserver une peau laiteuse, à l'abri du soleil auquel sont exposées celles qui travaillent. Les exigences ne s'arrêtent pas là. Il faut avoir les cheveux blonds. Ce blond vénitien, merveilleux et totalement artificiel, acquis à grand renfort de recettes complexes. Offert à Venise par ses courtisanes, ce roux léger fait des ravages. Au point que les voyageurs se plaignent bientôt de ne plus trouver une seule brunette dans toute la péninsule. Les sourcils, eux, seront noir charbon, les lèvres et les joues rouges. La couleur des yeux, que l'on préfère verte en France, sera brune ou noire en Italie. Seins fermes, ronds et blancs, ni trop, ni trop peu, cou et mains longs et minces, pied petit, taille souple sans être trop marquée. Voilà le minimum que l'on est en droit d'attendre d'une femme. La beauté des femmes devient obsessionnelle. Poètes et rimailleurs en chantent les louanges et composent des blasons, petits poèmes qui décrivent et flattent telle ou telle partie de leur corps. La manie des chiffres qui a dépassé les cercles des penseurs touche le peuple et les listes des beautés, dont le nombre va de trois à trente, se multiplient. Témoin, la liste de Morpugo (*Costume delle donne - 1536*), qui en comporte trente-trois :
– trois longues : les cheveux, les mains et les jambes,
– trois menues : les dents, les oreilles et les seins,

– trois larges : le front, le torse et les hanches,
– trois étroites : la taille, les genoux et *« l'endroit où la Nature a placé tout ce qui est doux »*,
– trois grandes, *« mais bien proportionnées »* : la taille, les bras et les cuisses,
– trois fines : les sourcils, les doigts et les lèvres,
– trois rondes : le cou, les bras, et le…
– trois petites : la bouche, le menton et les pieds,
– trois blanches : les dents, la gorge et les mains,
– trois rouges : les joues, les lèvres et les tétons,
– trois noires : les sourcils, les yeux et *« ce que vous savez »*.

Répondre à tant d'exigences n'est pas à la portée de tout le monde. Alors, on triche. Talons hauts, corsets, vêtements, attitudes étudiées et maquillage sont des recours courants contre les mauvais coups de l'inconséquente nature. Venise est le creuset de cette beauté « populaire » aux pratiques diverses, née de la volonté héroïque des citadines d'atteindre, elles aussi, à la beauté. L'édition des livres de « secrets », de recettes de fards et de parfums démocratise les pratiques. À Venise, toutes les citadines sont accusées de se servir de fards, mêmes les *« laveuses de vaisselle »*. Les couches de maquillage finissent par composer des masques dont l'épaisseur empêche de parler ou de rire. Ce qui exaspère Castiglione et l'Arétin qui pestent contre ces emplâtres sous lesquels les femmes ressemblent à des *« statues de bois »* et *« ne peuvent plus tourner la tête sans faire pivoter tout leur corps »*. Mais la beauté est à ce prix. Pour rendre honneur à la Vénus humaine, il faut aussi savoir composer et faire de son corps un objet d'inspiration. La Nature y retrouvera les siens.

■

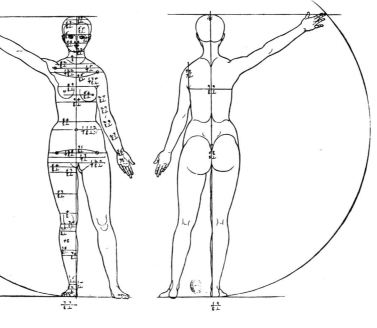

Pour représenter les corps humains avec précision Dürer utilisait les mathématiques, sorte d'alchimie corporelle. « Etude de femme », gravure, 1594.

Lotto: « Vénus et l'Amour ». Huile sur toile. 92,4 × 111,4 cm. New York, Metropolitan Museum.

La courtisane profite de la journée pour se promener dans les jardins ; elle y prend sans doute ses rendez-vous pour la nuit. Ludovico Toeput : « Concert champêtre » [détail]. Huile sur toile. 171,5 × 129,5 cm. Trévise, Musée civique.

Splendeur et misère des courtisanes

L'univers de la courtisane confine à l'art de vivre. Ces Vénitiennes n'offrent pas seulement des corps complaisants. Elles partagent avec leurs multiples amants les plaisirs de la conversation et le goût de la musique. Mais vieillesse et déchéance guettent ces prostituées de luxe.

« *Civilità puttanesca* », civilisation des putains : ainsi l'Arétin avait-il baptisé Venise la Belle. Comme Vénus sortie des eaux, la cité a toujours été célèbre pour la liberté de ses mœurs et l'accessible beauté de ses femmes. Mais le XVIᵉ fut le siècle d'or de l'amour négocié. D'abord parce que la prostitution y devient pléthorique. En 1498, la fermeture du quartier réservé du Castelletto, proche du Rialto, laissa les prostituées se déployer dans toute la ville. Un chroniqueur du début du siècle estimait à 11 654 leur nombre dans Venise. Mais surtout parce que les prostituées y accèdent à un statut qui restera unique dans la civilisation occidentale. A côté des *meretrici*, terme péjoratif évoquant l'abattage, apparaissent les *cortigiane*, les courtisanes. Le mot est chargé de richesse. Il évoque directement *le Courtisan*, l'œuvre de Castiglione, fin traité de la vie de cour, qui fait la part belle aux relations entre les hommes et les femmes et à l'amour. Fantasmée et façonnée à l'image de la perfection humaniste, vouée aux plaisirs réconciliés des sens et de l'esprit par une dérive inédite

Parfaite dans l'art de l'amour, la courtisane doit aussi exceller dans le goût des arts, pour le plus grand plaisir de ses visiteurs. Parrasio Micheli : « Courtisane avec luth », 1560. Huile sur toile. 110 × 97 cm. Budapest, Szépművészeti Muzeum.

dans l'Occident très chrétien, la courtisane est la femme idéale.

La courtisane du XVIᵉ siècle va exercer
sur la civilisation vénitienne une influence considérable. Son statut, inspiré par les références antiques, ne suscite pas le mépris. Au contraire. Elle se
rêve, et on la rêve, en réplique des courtisanes athéniennes, vouées au culte
d'Aphrodite, amies des lettrés, inspira-
trices des hommes politiques. C'est fidèle à cet esprit que la courtisane vénitienne va entretenir avec les hommes
qu'elle reçoit des relations privilégiées,
dépassant le simple commerce de son
corps. Elle n'est d'ailleurs pas poussée
au métier par la grande misère. Nombre
de courtisanes sont issues de milieux re-
lativement fortunés et éduqués, comme
la plus célèbre d'entre elles, la poétesse
Veronica Franco, auteur de trois à
quatre mille vers et d'un volume de
prose. Comme elle, les courtisanes
étaient souvent amenées au métier
par des mères qui jouaient les en-
tremetteuses. Et le bien qu'elles
amassaient pouvait servir à entretenir
toute une famille. Veronica offrit à son
père de quoi se lancer dans les affaires et
à sa mère de quoi vivre confortable-
ment. Elle assura une éducation confor-
table à l'un de ses fils. Elle-même ne laissa que quelques meubles lorsqu'elle
disparut.

Poétesse originale, musicienne, amie de
Tintoret qui fit son portrait, Veronica est
emblématique. Mais pas exceptionnelle. La culture, le goût pour l'art, le raffi-
nement étaient les attributs attendus de
la courtisane vénitienne. Cette incarna-
tion d'une féminité amicale et séduisan-
te sait vivre, et bien vivre. Elle a appris à
parer son corps de parfums, de vêtements, de maquillages. C'est elle qui a
créé le fameux blond vénitien, que les
honnêtes femmes ont adopté. Elle évo-
lue dans un univers sensuel, ses draps
sont en toile de Reims, ses couvre-lits en
satin, ses tables couvertes de nappe-
rons, ses ciels de lit peints de scènes las-
cives. Sophistiquée et chaleureuse, elle
sait recevoir, et être reçue. On se retrouve chez elle pour des soirées amicales,
on l'invite dans les maisons de campagne. D'ailleurs, elle cuisine à mer-
veille. Enfin, elle est la compagne avisée
d'hommes sensibles aux plaisirs de la
conversation. Lettrée, elle a la tête bien
faite. Elle sait mener une conversation,

Les socques à hauts
talons, qui pouvaient
atteindre jusqu'à
50 centimètres,
furent interdites en
1430 par le sénat
afin d'éviter les
interruptions de
grossesse dues aux
chutes, mais elles
restèrent néanmoins
l'apanage des
courtisanes.
Gravure
extraite de
l'ouvrage
de Cesare
Vecellio.

Le carnaval autorise
toutes les libertés.
Cet homme
masqué lance vers les
dames des
œufs contenant des
substances
odoriférantes. Gravure
de Bertelli.

aime et écrit de la poésie. Si elle ne pratique pas elle-même un instrument, elle
aime la musique. Tous la fréquentent,
les hommes jeunes, les hommes mariés,
les libertins et les étrangers qui se pressent à Venise pour les y rencontrer.
Veronica vit venir à elle ce que l'Europe
comptait de plus illustre et de plus
riche. Henri III, fuyant la Pologne, fit un
détour par Venise avant d'aller se faire
couronner à Paris. Il passa la nuit avec la
belle courtisane et la quitta doté de deux
poèmes, et de l'un de ses portraits. Montaigne lui fut présenté et elle lui fit porter un recueil de ses poésies. Impliquée
dans les débats du temps, défenseur de
la littérature en langue italienne, parti-
san des «modernes» plutôt que des
« anciens », elle entretint en outre des
correspondances suivies avec de grands
écrivains.
Les Vénitiens reconnaissants ont attribué aux courtisanes un rôle civilisateur :
ce sont elles qui ont introduit l'art de se
tenir à table, qui ont cultivé les conversations galantes, qui ont mis au goût du

Pour Pietro Bembo,
la technique
musicale est le moyen
par excellence
pour que deux âmes
amantes
soient en harmonie.
Attribué à Lambert
Sustris: « Vénus
couchée » [détail].
Huile sur toile.
116 × 186 cm.
Amsterdam,
Rijksmuseum.

jour les bals, les baignades dans la lagune au son des luths et des flûtes, les soins du corps… Mais il faut bien vivre. Donc se faire entretenir, par un ou plusieurs amis. Le poète Bandello décrit ainsi l'organisation commerciale qui préside à la vie de la courtisane. Une jeune femme peut avoir six ou sept amants, soit un par nuit. Chacun d'eux vient tour à tour dîner et dormir avec elle. Dans la journée, l'hôtesse reçoit des amis de passage ou se distrait, flânerie sur les terrasses, déjeuners champêtres dans les jardins, étuves et bains publics. A l'extérieur, elle porte son indispensable chapeau de paille et une légère robe de soie ou de toile, nommée *schiavonetto* (petit esclave). En ville, elle met des socques à très hauts talons afin d'éviter la boue des ruelles. Objets de luxe caractéristiques de la profession, ces chaussures lui donnent un déhanchement tout à fait particulier, qui devient un objet de dérision. Lorsqu'un étranger, ignorant les coutumes de la ville, souhaite passer la nuit avec elle, elle déplace l'amant habituel. Lequel se plie à sa décision. Ce type de situation est en effet prévu dans le contrat passé entre eux.

Elle peut recevoir un amant différent chaque nuit, cela est prévu dans le contrat, ainsi que les émoluments. Pâris Bordone : « les Amants vénitiens » [détail], 1525. 95 × 80 cm. Milan, pinacothèque Brera.

Contrat qui prévoit le plus souvent des émoluments forfaitaires et mensuels. Adulées, les courtisanes répondent d'un statut juridique particulier dans la cité, dont le contenu n'est pas sans évoquer un proxénétisme d'Etat tempéré. La République veille à leur sécurité : elle édicte des règlements destinés à les protéger des brutalités et des extorsions. La législation est d'ailleurs telle que les courtisanes affluent de toute l'Italie. La morale publique en perd la tête, et bientôt vont se multiplier les règlements discriminants. Ne serait-ce que pour faire la différence entre les femmes honnêtes et les autres… En 1543, interdiction leur est faite de porter de l'or, de l'argent, de la soie, des chaînes, des perles et des anneaux. Celles qui sortent la nuit sont contraintes de porter une petite lanterne. En 1571, il leur sera interdit de se

Titien : « le Concert champêtre », 1511. Huile sur toile. 110 × 138 cm. Paris, musée du Louvre.

rendre à l'église les jours de fête. Les brimades qui apparaissent au milieu du siècle vont se multiplier au fil des années. Accusées d'envoûtements, d'impiété, de débauche, les courtisanes passent plus souvent qu'à leur tour devant le tribunal. Enfin, aussi brillante que puisse être la vie d'une courtisane jeune et célèbre, il n'en reste pas moins qu'elle souffre de la violence même de sa condition. Menacée par les agressions et les violences de la rue, elle l'est aussi par l'âge, qui la ruine, par les maternités et

l'amant vénitien laisse son lit à l'étranger de passage

par les maladies vénériennes qui la touchent fréquemment, notamment la syphilis – ce « mal français », comme on l'appelle à Venise. *Le Lamento de la courtisane* au XVIe siècle dit ainsi : « *J'étais belle et j'exhalais de si douces odeurs, je pue aujourd'hui et suis pleine de pourriture. Y penser me brise le cœur… Où sont les bals, les musiques douces, mes amis qui me rendaient visite et mes compagnons ? Tous m'abandonnent au moment du malheur, tous m'abandonnent à ma douleur, et personne ne m'aime plus désormais.* »

Veronica Franco écrit à une mère qui projette de faire de sa fille une courtisane : « *Il n'y a pas d'existence plus malheureuse et plus déplorable […]. C'est une triste nécessité que d'avoir à se donner en proie chaque jour à un chacun. Quelle misère ! Consentir à des complaisances dont la pensée fait frémir ! S'exposer à être dupée, volée, assassinée peut-être, à perdre en un seul jour le fruit de plusieur années de peine, à ruiner sa santé à tout jamais. Il n'est pas de richesse, pas de délice, pas d'avantage qui puissent compenser tous ces sacrifices ! Croyez-moi, de toutes les calamités humaines, celle que vivent les courtisanes est la pire. Joint qu'il faut, après la misère de ce monde, s'attendre dans l'autre aux plus terribles châtiments.* » Se retirant du métier à l'aube de la quarantaine, épuisée et malade, Veronica entra dans les ordres. Elle voulut créer un béguinage aux règles compréhensives, susceptible d'accueillir les courtisanes et leurs enfants et d'adoucir leur condition. Son projet n'aboutit pas, mais il inspira la création d'une maison de retraite et d'un ordre charitable, financé par les nobles dames de Venise.

Des années plus tard, les religieuses indiquaient à leurs visiteurs, sur un tableau accroché dans leur église, le visage de Veronica. Elles la présentaient comme la fondatrice de leur ordre. Si l'on voulait sanctifier les héroïnes de l'amour vénal, c'est sans doute dans la courtisanerie vénitienne du début du XVIe siècle qu'il faudrait les recruter. ■

Giorgione:
«Laura», 1506.
Toile marouflée ou
toile sur bois.
41 × 33,6 cm.
Vienne,
Kunsthistorisches
Museum..

BIBLIOGRAPHIE

BIBLIOGRAPHIE GÉNÉRALE

• Alazard, Jean. *La Venise de la Renaissance.* Paris, Hachette, 1956.
• Aymard, Maurice. *Lexique historique de l'Italie, XV-XXᵉ siècle.* Paris, Colin, 1977.
• Braustein, Philippe, Delort, Robert. *Venise, portrait historique d'une cité.* Paris, Le Seuil, 1971.
• Chastel, André et Klein, Robert. *L'Age de l'humanisme.* Paris, édition des Deux Mondes, 1963.
• *Civilta Europea e Civilta Veneziana, Umanesimo europeo e Umanesimo Veneziano.* Florence, Sansoni, 1966.
• Delumeau, Jean. *La Civilisation de la Renaissance.* Paris, Arthaud, 1984.
• Dielh, Charles. *La République de Venise.* Paris, Flammarion, 1985.
• Flavio, Caroli et Zuffi, Stefano. *Titien.* Paris, Fayard, 1991.
• *La Civilta Veneziana del Rinascimento.* Florence, Sansoni, 1958.
• Lane, Frederic C. *Venise, une république maritime.* Paris, Flammarion, 1985.
• *Lettres* [1525-1553] de l'Arétin, choisies et traduites par André Chastel. Paris, Scala, 1988.
• Muraro, M. *La Letteratura, la Rappresentazione, la Musica al tempo e nei luoghi di Giorgione.* Rome, Jouvence, 1987.

• Panofsky, Erwin. *Le Titien, questions d'iconologie.* Paris, Hazan, 1990.
• *Places of Delight, The Pastoral Landscape.* Catalogue par Robert Cafritz, Lawrence Gowing, David Rosand, Clarkson N. Potter. New York, Washington, 1988.
• Pignatti, Terisio. *Giorgione, Complète Edition.* New York, Phaïson, 1971.
• *Renovatio Urbis, Venezia nell'eta di Andrea Gritti (1523 - 1538).* Rome, Manfredo Tafuri édition, 1984.
• Tafuri, Manfredo. *Venezia e il Rinascimento: religione, scienza, archittetura.* Turin, Einaudi, 1985.
• Vasari, Giorgio. *La Vie des meilleurs peintres, sculpteurs et architectes.* Traduction et édition commentée sous la direction d'André Chastel, Paris, Berger Levrault, 1989.
• *Venise au temps des galères.* Sous la direction de Maurice Aymard et Jacques Goimard. Paris, Hachette, 1968.
• Yriarte, Charles. *La Vie d'un patricien de Venise au XVIᵉ siècle.* Paris, Plon, 1874.
• Zorzi, Alvise. *Une cité, une république, un empire, Venise.* Paris, Nathan, 1980.
• Zorzi, Alvise. *La République du Lion : Histoire de Venise.* Paris, Perrin, 1988.

HISTOIRE, HISTOIRES

• Chastel, André. *Le Sac de Rome, 1527.* Paris, Gallimard, 1984.
• Delumeau, Jean. *L'Italie de Botticelli à Bonaparte.* Paris, Armand Colin, 1974.
• Delumeau, Jean. *Rome au XVIᵉ siècle.* Paris, Hachette, 1975.

• Grendler Paul F. *The Roman Inquisition and the Venetian Press.* Princeton, Princeton University Press, 1977.
• Lane Frédéric C. *Venice and History.* Baltimore, John Hopkins University Press, 1966.

• Lapeyre, Henri. *Banques et Crédits en Italie du XVᵉ au XVIIIᵉ siècle. In Revue d'Histoire moderne et contemporaine,* VIII, 1961.
• Lesure, Michel. *Lépante, la crise de l'Empire ottoman.* Paris, Julliard, collection Archives, 1972.
• Lienhard, Marc. *Martin Luther, un temps, une vie, un message.* Genève, Labor et Fides (diffusion Paris, Le Cerf), 1991.
• Poliakov, Léon. *La Communauté juive à Venise au XVIᵉ et XVIIᵉ siècles. In Annales ESC.* Paris, Armand Colin, 1957.
• Pullan, Brian. *The Jews of Europe and the Inquisition in Venice, 1550 - 1670.* Oxford, Basil Blackwell, 1983.

MARCHANDS DE FASTE

• Babelon, Jean. *Titien.* Paris, Plon, 1950.
• Brion, Marcel. *Venise.* Paris, Albin Michel, 1962.
• Howard, Deborah. *Jacopo Sansovino, Architecture and Patronage in Renaissance Venice.* Londres New Haven, Yale University Press, 1975.
• Marabini, Jean. *Venise.* Paris, Le Seuil, 1978.
• Marton, Paolo et Zorzi, Alvise. *Les Palais vénitiens.* Paris, Mengès, 1989.
• Palladio, Andrea. *Les Quatre Livres d'architecture.* Paris, Arthaud, 1980.
• Ruskin, John. *Les Pierres de Venise.* Paris, Hermann, 1983. (Londres, 1879).

• Schneider, Pierre. *De la villa en Vénétie.* Genève, le Septième fou, 1985.
• Tenenti, Alberto et Vivanti, Corrado. *Le Film d'un grand système de navigation : les galères marchandes vénitiennes, XIVᵉ - XVIᵉ siècles. In Annales ESC.* Paris, Armand Colin, 1961.
• Tristan, Frédérick. *Venise.* Paris, Champ Vallon, 1984.
• Valensi, Lucette. *Venise et la Sublime Porte. La Naissance du despote.* Paris, Hachette, 1987.
• Trincanato, Egle. *Venise au fil du temps : atlas historique d'urbanisme et d'architecture.* Paris, Joël Cuénot, 1971.

PESTE ET CARNAVAL

• Benassar, Bartolomeo. *Les Pestes au XVIᵉ siècle. In Annales ESC.* Paris, Armand Colin, 1969.
• Biraben, Jean-Noël. *Les Hommes et la Peste en France et dans les pays européens et méditerranéens.* Paris, La Haye, Mouton EHESS, 1975.
• Chartier, Robert. *Les Arts de mourir, 1450-1600. In Annales ESC.* Paris, Armand Colin, 1976.
• *Civic Ritual in Renaissance Venice.* Prince-

ton, Princeton University Press, 1981.
• Delumeau, Jean. *La Peur en Occident.* Paris, Fayard, 1978.
• Guerdan, René. *La Sérénissime, histoire de la République de Venise.* Paris, Fayard, 1971.
• *Les Jeux à la Renaissance.* Colloque sous la direction de Philippe Ariès, actes du XXXIIIᵉ colloque international d'études humanistes, Tours, Juillet 1980, Paris, Vrin, 1982.
• Jonard, Norbert. *Vie quotidienne à Venise au*

XVIIIᵉ siècle. Genève, Famot (diffusion Beauval), 1978.
• Maschio, Ruggiero. *Investimenti edilizi delle scuole grandi a Venezia (XVIᵉ - XVIIᵉ siècles).* Florence, Semanie de Prato, 1977.

PEINTRES ET MÉCÈNES

• Baxandall, Michael. *L'œil du Quattrocento.* Paris, Gallimard, 1985.
• Braunstein, Philippe. *Venise, le Doge, les Clans et le Peuple. In l'Histoire* n°43. Paris, 1982.
• Chambers, David Sanderson. *Patrons and Artists in the Italian Renaissance.* Columbia, University of South Carolina Press, 1971.
• Chastel, André. *Chronique de la peinture italienne à la Renaissance 1280/1580.* Fribourg, Office du Livre, Vilo, 1983.
• Chastel, André. *La Vie des peintres italiens de la Renaissance. In l'Histoire,* n°72. Paris, 1984.
• Francastel, Galienne. *De Giorgione à Titien, l'artiste, le public et la commercialisation de l'œuvre d'art. In Annales ESC.* Paris, Armand Colin, 1960.
• Hochmann, Michel. *Peintres et Commanditaires à Venise 1540/1628.* Rome, Ecole française de Rome (diffusion de Boccard), 1992.
• Jacob Jansen, Dirk. *Jacopo Strada et le Commerce d'Art. In la Revue de l'art,* n°77.

• Pullan, Brian. *Rich and Poor in Renaissance Venice.* Oxford, Blackwell, 1971.
• Tenenti, Alberto. *Sens de la mort et Amour de la vie, Renaissance en Italie et en France.* Paris, l'Harmattan, 1983.

• Lapeyre, Henri. *Charles Quint ; In Encyclopædia Universalis.* France, SA, 1990.
• Lapeyre, Henri. *Les Voyages de Charles Quint ; In l'Histoire,* n°30. Paris, 1981.
• Lapeyre, Henri. *Philippe II d'Espagne ; In Encyclœpedia Universalis.* France, SA, 1990.
• L'Aretin, *Lettres.* Choisies et traduites par Jean-François Peyret et Valentina la Rocca. Arles, Actes Sud, 1985.
• Parker Geoffrey. *Philippe II et le Déclin de l'Espagne. In l'Histoire* n°31, Paris, 1981.
• Rosand, David. *Painting in Cinquecento Venice : Titian, Veronese, Tintoretto.* Londres, New Haven, Yale University Press, 1982.
• Settis, Salvatore. *L'invention d'un tableau: la Tempête de Giorgione.* Paris, Edition de Minuit, 1987.
• Tietze, Hans. *Meister und Werkstätte in der Renaissancemalerei Venedigs Alte und neve Kunst weiner kunstwissenschaftliche Blätter 1,* 1952.
• Warnke, Martin. *L'Artiste et la Cour.* Paris, Maison des Sciences de l'Homme, 1989.

IDÉALE RENAISSANCE

• Delumeau, Jean. *La Civilisation de la Renaissance, Les Grandes Civilisations.* Paris, Arthaud, 1984.
• Erasme. *Eloge de la folie.* Paris, Garnier Flammarion, 1989.
• Lane, Frederic C. *Venise, une république maritime.* Paris, Flam-

merie nationale, 1992.
• Erasme. *Colloques* (2 tomes). Paris, Impri-

marion, collection Champs, 1985.

• *L'homme de la Renaissance*. Sous la direction d'Eugenio Garin, l'Univers historique. Paris, Le Seuil, 1990.

• Lowry, Martin. *Le Monde d'Alde Manuce*. Paris, Promodis, Editions du Cercle de la Librairie, 1989.

• Mandrou, Robert. *Histoire de la pensée européenne, tome III : Des humanistes aux hommes de science*. Paris, Points Seuil, 1973.

• Montaigne. *Essais*. Paris, Garnier Flammarion, 1985.

• More, Thomas. *L'Utopie*. Paris, Garnier Flammarion, 1987.

• Namer, Emile. *L'Affaire Galilée*. Paris, Gallimard, collection Archives, 1975.

• Panofsky, Erwin. *Le Titien, questions d'iconologie*. Paris, Hazan, 1989.

• Pozzi, Giovanni. *Francesco Colonna et Alde Manuce, Société anonyme monotype*. Paris, 1962.

• Rabelais. *Gargantua*. Paris, Garnier Flammarion, 1978.

• Rabelais. *Pantagruel*. Paris, Garnier Flammarion, 1979.

• Renaudet, Augustin. *Erasme et l'Italie*. Genève, Droz, 1954.

• Rose Paul-Lawrence. *The Italian Renaissance of Mathematics (to Petrarch from Galileo)*. Genève, Droz, 1975.

L'AMOUR EN BEAUTÉ

• Burke, Peter. *La Renaissance en Italie : art, culture, société*. Paris, Hazan, 1991.

• Castiglione, Baldassare. *Le Livre du Courtisan*. Introduction d'Alain Pons. Paris, Gérard Lebovici, 1987.

• Chastel, André. *Mythe et Crise de la Renaissance*. Genève, Skira, 1989.

• Charbonnel Roger. *La Pensée italienne au XVIᵉ siècle et le courant libertin*. Paris, Champion, 1917.

• Clark, Kenneth. *Le Nu*. Paris, Hachette, 1987.

• Flaudrin, Jean-Louis. *Le Sexe et l'Occident. Evolution des attitudes et des comportements*. Paris, Le Seuil, 1986.

• Grimal, Pierre. *Dictionnaire de la mythologie grecque*. Paris, PUF, 1991.

• Farge, Arlette et Zemon-Davis, Nataly. *Histoire des femmes en Occident,* Tome II, Sous la direction de Georges Duby et Michelle Perrot. Paris, Plon, 1991.

• Panofsky, Erwin. *Essais d'iconologie : thèmes humanistes dans l'art de la Renaissance*. Paris, Gallimard, 1990.

• Pleynet, Marcelin. *Giorgione et les Deux Vénus : plaisir à la Tempête*. Paris, Maeght, 1991.

• Ravoux-Rallo, Elisabeth. *La Femme à Venise au temps de Casanova*. Paris, Stock, 1984.

• Rodocanachi, Emmanuel. *La Femme italienne à l'époque de la Renaissance*. Paris, Hachette, 1907.

• Rodocanachi, Emmanuel. *Le Concept de beauté en Italie du XIIᵉ au XVIᵉ siècle*. Paris, Bureaux de la « Grande Revue », 1905.

• Rodocanachi, Emmanuel. *Une courtisane vénitienne à l'époque de la Renaissance d'après ses lettres et poésies. La Nouvelle Revue*. Paris, 1894.

• Sceve Maurice. *Délie : objet de plus haute vertue*. Edition présentée et établie par Françoise Charpentier. Paris, Gallimard, 1984.

ILLUSTRATIONS ET CRÉDITS PHOTOGRAPHIQUES

En couverture : Titien « L'Amour sacré, l'amour profané » [détail]. 1514. Huile sur toile. 118 × 279 cm. Rome, galerie Borghese. Scala ; Berlin, Staatliche Museum Gemaldegalerie ; Scala ; Budapest, Szépművészeti Muzeum. P4 : Paris, Bibliothèque Jacques-Doucet. P5 : Braunschweig, Herzog Anton-Ulrich-Museum. P6 : Berlin, Staatliche Museum, Gemaldegalerie. P8/9 : Paris, Bibliothèque nationale ou BN. P10/11 : Paris, BN. P10 : Paris, BN ; Madrid, musée du Prado. P11 : Giraudon ; Lauros-Giraudon. P12 : Paris, BN ; Paris, BN ; Paris, BN ; Giraudon. P13 : Roger-Viollet. P14 : Lauros-Giraudon ; Giraudon. P15 : Scala ; Fototeca Storica Nationale. P16/17 : Scala. P16 : Giraudon ; Florence, Galerie des Offices. P17 : Scala. P18 : Mondadori ; Sienne, Archives de l'Etat ; Scala. P19 : Scala. P20 : Scala. P22/23 : Scala. P22 : Scala ; Fototeca Storica Nazionale. P23 : Giraudon ; Fototeca Storica Nazionale. P24/25 : Anvers, musée royal des Beaux-Arts. P26 : Giraudon ; Scala. P27 : foto O. Böhm-Venise ; foto O. Böhm-Venise ; foto O. Böhm-Venise. P28/29 : Roger-Viollet. P28 : Scala ; Scala ; DR. P29 : Lauros-Giraudon : Photo RMN. P30/31 : Fabbri. P30 : Giraudon ; P31 : Chantilly, musée Condé ; Giraudon ; Fototeca Storica Nazionale. P32 : Ottawa, National Gallery of Canada ; Malibu, Paul Getty Museum ; Philadelphie, Museum of Art. P33 : Alinari-Giraudon. P34 : Washington, National Gallery of Art. P35 : Scala. P36/37 : Detroit, Institute of Arts. P38 : Washington, National Gallery of Art ; Paris, musée du Louvre. P39 : Mondatori. P38/39 : Interfoto-Munich-Giraudon. P40/41 : Glasgow, Art Gallery and Museum. P42/43 : Londres, Royal Collection, St James's Palace ; H.M. Queen Elizabeth II. P43 : Vienne, Kunsthistorisches Museum. P44 : Florence, palais Pitti. P45 : Fototeca Storica Nazionale. P46 : Londres, National Gallery. P47 : Munich, Alte Pinakothek ; Giraudon. P48 : Alinari-Giraudon ; Lugano, Collection Thyssen-Bornemisza. P49 : Vienne, Kunsthistorisches Museum ; Giraudon ; Madrid, musée du Prado. P50/51 : Giraudon. P52 : Photothèque Centre de l'image AP-HP. P52/53 : Fabbri ; Archives photographiques du musée Correr. P53 : Photo RMN ; Roger-Viollet. P54 : Archives photographiques du musée Correr ; Paris, BN. P55 : Archives photographiques du musée Correr ; Loreto, Pinacoteca Palazzo Apostolico ; Archives photographiques du musée Correr. P56 : Rome, galerie Borghese. P57 : Rome, galerie Borghese ; P58 : Giraudon ; Alinari-Anderson ; Archives photographiques du musée Correr. P58/59 : Alinari-Giraudon. P59 : Fabbri ; Paris, BN ; Archives photographiques du musée Correr. P60 : foto O. Böhm-Venise. P61 : Paris, BN ; Archives photographiques du musée Correr. P62/63 : Venise, Académie. P64 : Paris, BN ; Anderson-Giraudon ; Scala. P65 : Giraudon ; Paris, BN. P66 : Fabbri ; Fabbri ; Londres, British Museum. P67 : Vienne, Kunsthistorisches Museum. P68 : Paris, Bibliothèque Jacques-Doucet ; Fabbri. P69 : Paris, BN ; Fabbri ; Scala. P70 : Lauros-Giraudon ; Paris, BN. P71 : Paris, BN ; Washington, National Gallery of Art. P72/73 : Florence, palais Pitti. P74 : Paris, BN ; Fabbri. P75 : Photothèque Centre de l'image AP-HP ; Alinari-Giraudon ; Paris, BN ; Fabbri. P76 : Mondadori ; Paris, BN. P77 : Giraudon ; Giraudon. P78/79 : Washington, National Gallery of Art. P80 : Washington, National Gallery of Art ; Fototeca Storica Nazionale. P81 : Fabbri ; Fabbri ; Scala. P82 : Giraudon. P83 : foto O. Böhm-Venise ; Cambridge, Fitzwilliam Museum ; Alinari-Giraudon. P84 : Saint-Petersbourg, musée de l'Ermitage ; Madrid, musée du Prado. P85 : Lyon, musée des Beaux-Arts ; Madrid, musée du Prado ; Giraudon. P86 : Anderson-Giraudon ; Paris, musée du Louvre. P87 : Paris, BN ; Lugano, Collection Thyssen-Bornemisza. P88/89 : New York, Metropolitan Museum. P90 : Bildarchiv Preussischer Kulturbesitz-Giraudon ; Budapest, Szépművészeti Muzeum. P91 : Bibliothèque Jacques-Doucet ; Amsterdam, Rijksmuseum ; Mondadori. P92 : Alinari-Giraudon ; Paris, musée du Louvre. P93 : Vienne, Kunsthistorisches Museum.

Remerciements
Les auteurs et éditeurs remercient pour leur aide précieuse, Catherine Schapira et Anna Köböl ; Laurent Manœuvre, de la direction des Musées de France et les Pères responsables de la Pinacothèque du sanctuaire de Lorette.

Achevé d'imprimer en janvier 1993
sur les presses d'Alba Graphic.
Composition : Hardy. Photogravure : 7 Offset.
Dépôt légal janvier 1993.